CLASSIQUES LAROUSSE

Collection for

LÉON LEJEALLE (1949

VICTOR HUGO

LA LÉGENDE
DES SIÈCLES

choix de poèmes

II

avec une Notice biographique, une Notice historique et littéraire,
un Lexique, des Notes explicatives, une Documentation thématique,
des Jugements, un Questionnaire et des Sujets de devoirs,

par

PIERRE BRUNEL

Ancien élève de l'École normale supérieure
Agrégé de l'Université

LIBRAIRIE LAROUSSE

17, rue du Montparnasse, 75298 PARIS

Les résumés biographiques, la notice, le lexique et la bibliographie se trouvent au début du premier tome de cette édition de « la Légende des siècles ».

© *Librairie Larousse*, 1971.   ISBN 2-03-870060-5

XVIII. L'ITALIE — RATBERT

L'épopée de l'Italie conçue initialement par Hugo constituait un ensemble de plus de 2 000 vers et comprenait quatre pièces écrites dans l'ordre suivant :

1º « Les Quatre Jours d'Elciis » : le vieux gentilhomme de Pise Elciis parle pendant quatre jours, à Vérone, devant l'empereur d'Allemagne Othon III, fustige les gens de guerre et les gens d'Église, le gouvernement des rois, proclame les droits des peuples et montre quelle est la véritable volonté de Dieu. Cet énorme développement oratoire permet à Hugo d'exprimer les revendications du peuple italien de son temps ; il a été achevé le 27 novembre 1857 ;

2º « Les Conseillers probes et libres » (premiers titres : « le Concile », puis « le Conseil ») : cette pièce fut achevée le 2 décembre 1857. Le roi d'Arles Ratbert (personnage imaginé par Hugo qui lui prête les crimes de plusieurs rois de l'époque) siège sur la place d'Ancône, entouré de tous les seigneurs d'Italie, ses conseillers. Nous sommes au XIIIᵉ siècle. Le monstre vient d'inventer « un piège où ceux qu'il veut détruire tomberont ». Les flatteurs applaudissent et il les comble de récompenses ;

3º « La Défiance d'Onfroy » : Onfroy est le baron de la ville forte de Carpi, dans la région de Modène. Ratbert et son escorte arrivent aux portes de la place. Onfroy refuse de lui ouvrir les portes et, du haut des remparts, lance des invectives contre le roi-brigand et fait le panégyrique du vieil esprit de liberté des cités féodales. Cette pièce a été achevée le 6 décembre 1857 ;

4º « La Confiance du marquis Fabrice » : commencée le 2 décembre, avant les deux précédentes, cette pièce ne fut achevée que le 17 décembre. Elle illustre la cruauté de Ratbert à l'égard d'un vieux seigneur trop confiant.

De ces quatre romances de Ratbert, Hugo n'avait gardé que les trois dernières dans la série de 1859. « Les Quatre Jours d'Elciis » ne furent publiés qu'en 1883 et constituent une partie distincte de « Ratbert » dans l'édition définitive de *la Légende des siècles* (XX).

III. LA CONFIANCE DU MARQUIS FABRICE

Hugo avait déjà étudié le Moyen Age italien lors de la composition de *Lucrèce Borgia* (1833), mais, curieusement, il ne semble pas être revenu aux ouvrages historiques sur l'Italie qu'il connaissait : il utilise des documents ou des souvenirs amassés pour « le Rhin » ; il amalgame les traits des plus féroces empereurs d'Allemagne pour composer la figure de Ratbert ; il emprunte à leurs incursions fréquentes en Italie l'épisode cruel qu'il raconte dans cette « quatrième romance ». Le *Dictionnaire* de Moreri fournit une fois de plus une érudition superficielle.

Mais le thème développé dans « la Confiance du marquis Fabrice » est plus qu'un thème historique ou légendaire, plus qu'un écho des luttes de l'Italie à la conquête de son unité : c'est un thème *personnel*.

1° Le meurtre d'Isora est la reprise du meurtre de l'enfant dans la pièce des *Châtiments* intitulée « Souvenir de la nuit du 4 ». Les invectives de Fabrice sont une transposition des propres invectives de Hugo contre Napoléon III;

2° La douleur de Fabrice est, de plus, la transposition *épique* du thème *lyrique* de la quatrième partie des *Contemplations*, *Pauca meae*. On retrouve les accents douloureux du père au cœur meurtri.

I

ISORA DE FINAL — FABRICE D'ALBENGA

Tout au bord de la mer de Gênes, sur un mont
Qui jadis vit passer les francs de Pharamond[1],
Un enfant, un aïeul, seuls dans la citadelle
De Final[2] sur qui veille une garde fidèle,
5 Vivent bien entourés de murs et de ravins;
Et l'enfant a cinq ans et l'aïeul quatrevingts.

L'enfant est Isora de Final, héritière
Du fief dont Witikind a tracé la frontière[3];
L'orpheline n'a plus près d'elle que l'aïeul.
10 L'abandon sur Final a jeté son linceul;
L'herbe, dont par endroits les dalles sont couvertes,
Aux fentes des pavés fait des fenêtres vertes;
Sur la route oubliée on n'entend plus un pas;
Car le père et la mère, hélas! ne s'en vont pas
15 Sans que la vie autour des enfants s'assombrisse.

L'aïeul est le marquis d'Albenga, ce Fabrice
Qui fut bon; cher au pâtre, aimé du laboureur,
Il fut, pour guerroyer le pape ou l'empereur,

1. *Pharamond* : chef franc du Vᵉ siècle dont l'existence réelle est d'ailleurs contestée; son nom a été popularisé par un épisode des *Martyrs* de Chateaubriand; 2. *Final* ou *Finale*, ville des États sardes, sise au bord de la mer de Gênes; 3. Détail emprunté au *Dictionnaire* de Moreri, article « Carreto ».

————— QUESTIONS —————

● VERS 1-15. Quelle est l'atmosphère de la vieille citadelle? Commentez l'image des vers 11-12. Expliquez *route oubliée* (vers 13). — Pourquoi Hugo choisit-il de mettre côte à côte un enfant et un vieillard? Pouvez-vous citer un autre exemple de cette réunion dans *la Légende des siècles*?

Commandeur de la mer et général des villes;
20 Gênes le fit abbé du peuple[1], et, des mains viles
Ayant livré l'état aux rois, il combattit.
Tout homme auprès de lui jadis semblait petit;
L'antique Sparte était sur son visage empreinte;
La loyauté mettait sa cordiale étreinte
25 Dans la main de cet homme à bien faire obstiné.
Comme il était bâtard d'Othon, dit le Non-Né
Parce qu'on le tira, vers l'an douze cent trente,
Du ventre de sa mère Honorate expirante[2],
Les rois faisaient dédain de ce fils belliqueux;
30 Fabrice s'en vengeait en étant plus grand qu'eux.
A vingt ans, il était blond et beau; ce jeune homme
Avait l'air d'un tribun militaire de Rome;
Comme pour exprimer les détours du destin
Dont le héros triomphe, un graveur florentin
35 Avait sur son écu sculpté le labyrinthe;
Les femmes l'admiraient, se montrant avec crainte
La tête de lion qu'il avait dans le dos.
Il a vu les plus fiers, Requesens[3] et Chandos[4],
Et Robert, avoué d'Arras, sieur de Béthune[5],
40 Fuir devant son épée et devant sa fortune;
Les princes pâlissaient de l'entendre gronder;
Un jour, il a forcé le pape à demander
Une fuite rapide aux galères de Gênes;
C'était un grand briseur de lances et de chaînes,
45 Guerroyant volontiers, mais surtout délivrant;
Il a par tous été proclamé le plus grand
D'un siècle fort auquel succède un siècle traître[6];
Il a toujours frémi quand des bouches de prêtre
Dans les sombres* clairons de la guerre ont soufflé;
50 Et souvent de saint Pierre il a tordu la clé
Dans la vieille serrure horrible* de l'église[7].
Sa bannière cherchait la bourrasque et la bise;
Plus d'un monstre a grincé des dents sous son talon;
Son bras se roidissait chaque fois qu'un félon

---

1. Le gouvernement des *abbés du peuple* fut l'un des nombreux systèmes essayés par Gênes au xvᵉ siècle; 2. Détail tiré, par une bizarrerie dont Hugo est coutumier, de l'article « Armagnac » du *Dictionnaire* de Moreri, où il s'applique à un seigneur nommé Arnaud; 3. *Requesens* : gouverneur espagnol de Milan en 1572; 4. *Chandos* : chevalier anglais qui prit part à la bataille de Poitiers (1356); 5. Emprunt au *Dictionnaire* de Moreri, article « Béthune »; 6. Il faut noter que Hugo ne précise pas le siècle; 7. C'est-à-dire qu'il a réussi à faire opposition au pape.

55 Déformait quelque état populaire en royaume;
   Allant, venant dans l'ombre* ainsi qu'un grand fantôme,
   Fier, levant dans la nuit son cimier flamboyant,
   Homme auguste au dedans, ferme au dehors, ayant
   En lui toute la gloire et toute la patrie,
60 Belle âme invulnérable et cependant meurtrie,
   Sauvant les lois, gardant les murs, vengeant les droits,
   Et sonnant dans la nuit sous tous les coups des rois,
   Cinquante ans, ce soldat, dont la tête enfin plie[1],
   Fut l'armure de fer de la vieille Italie,
65 Et ce noir* siècle, à qui tout rayon semble ôté,
   Garde quelque lueur encor de son côté.

II

LE DÉFAUT DE LA CUIRASSE

Maintenant il est vieux; son donjon, c'est son cloître;
Il tombe[2], et, déclinant, sent dans son âme croître
La confiance honnête et calme des grands cœurs;
70 Le brave ne croit pas au lâche, les vainqueurs
Sont forts, et le héros est ignorant du fourbe.
Ce qu'osent les tyrans, ce qu'accepte la tourbe,
Il ne le sait; il est hors de ce siècle vil;
N'en étant vu qu'à peine, à peine le voit-il;
75 N'ayant jamais de ruse, il n'eut jamais de crainte;
Son défaut fut toujours la crédulité sainte,
Et, quand il fut vaincu, ce fut par loyauté;
Plus de péril lui fait plus de sécurité[3].
Comme dans un exil il vit seul dans sa gloire;

---

1. *Plie* sous le poids des ans plus que sous les coups des rois; **2.** *Tomber* est ici à peu près synonyme de « décliner » (comparer à l'expression : « le jour *tombe* »); **3.** Le vers est obscur; au moment où Fabrice court le plus grand danger, il a au contraire l'impression qu'il n'a jamais été plus en sécurité.

─────── **QUESTIONS** ───────

● VERS 16-66. La chronologie de Hugo est-elle cohérente? Songe-t-il seulement au siècle où vivait Fabrice dans les vers 47 et 65? Cela explique-t-il qu'il ne le précise pas? — Quels sont les ennemis de Fabrice? Qu'est-ce qui le rapproche des chevaliers errants? Qu'est-ce qui l'en distingue? Faut-il prendre *monstre* (vers 53) au sens propre? Les ennemis de Hugo et ceux de Fabrice sont-ils les mêmes? — L'antithèse du vers 60 : que signifie-t-elle? Lequel des deux vers suivants développe *invulnérable*? Lequel développe *meurtrie*? Le vers 63 introduit-il une contradiction?

80 Oublié; l'ancien peuple a gardé sa mémoire,
   Mais le nouveau la perd dans l'ombre*, et ce vieillard
   Qui fut astre, s'éteint dans un morne* brouillard.

   Dans sa brume, où les feux du couchant se dispersent,
   Il a cette mer vaste et ce grand ciel qui versent
85 Sur le bonheur la joie et sur le deuil l'ennui.

   Tout est derrière lui maintenant; tout a fui;
   L'ombre* d'un siècle entier devant ses pas s'allonge;
   Il semble des yeux suivre on ne sait quel grand songe;
   Parfois, il marche et va sans entendre et sans voir.
90 Vieillir, sombre* déclin! l'homme est triste* le soir;
   Il sent l'accablement de l'œuvre finissante.
   On dirait par instants que son âme s'absente,
   Et va savoir là-haut s'il est temps de partir.

   Il n'a pas un remords et pas un repentir;
95 Après quatrevingts ans son âme est toute blanche;
   Parfois, à ce soldat qui s'accoude et se penche,
   Quelque vieux mur, croulant lui-même, offre un appui;
   Grave*, il pense, et tous ceux qui sont auprès de lui
   L'aiment; il faut aimer pour jeter sa racine
100 Dans un isolement et dans une ruine;
   Et la feuille de lierre a la forme d'un cœur.

                        III

                  AÏEUL MATERNEL

   Ce vieillard, c'est un chêne adorant une fleur.
   A présent un enfant est toute sa famille.

─────── ● QUESTIONS ───────────────────

● VERS 67-101. Commentez dans le vers 68 la hardiesse du premier
verbe et l'antithèse. Quelle est l'idée exprimée dans les vers 69-78?
Pourquoi *oublié* est-il mis en valeur au vers 80? Quel est le rapport
entre les vers 82-83 : la transition vous semble-t-elle artificielle? Expliquez l'idée contenue dans les vers 84-85, et commentez le chiasme et
l'enjambement. L'image du vers 87 est-elle juste? Quel est le double
sens du mot *soir* (vers 90)? Quelle est la distinction entre *remords* et
repentir (vers 94)? Pourquoi le vieillard recherche-t-il ce qui comme
lui « tombe en ruine »? — Quel est l'effet produit par l'image finale
(vers 101)? Pourquoi la rime reste-t-elle en suspens? — Quels éléments
de ce passage ont une résonance personnelle?

Il la regarde, il rêve; il dit : « C'est une fille,
105 Tant mieux! » Étant aïeul du côté maternel.

La vie en ce donjon a le pas solennel;
L'heure passe et revient ramenant l'habitude.

Ignorant le soupçon, la peur, l'inquiétude,
Tous les matins, il boucle à ses flancs refroidis
110 Son épée, aujourd'hui rouillée, et qui jadis
Avait la pesanteur de la chose publique[1];
Quand, parfois, du fourreau, vénérable relique,
Il arrache la lame illustre avec effort,
Calme, il y croit toujours sentir peser le sort.
115 Tout homme ici-bas porte en sa main une chose
Où, du bien et du mal, de l'effet, de la cause,
Du genre humain, de Dieu, du gouffre*, il sent le poids;
Le juge au front morose a son livre des lois,
Le roi son sceptre d'or, le fossoyeur sa pelle.

120 Tous les soirs il conduit l'enfant à la chapelle;
L'enfant prie, et regarde avec ses yeux si beaux,
Gaie, et questionnant l'aïeul sur les tombeaux;
Et Fabrice a dans l'œil une humide étincelle.
La main qui tremble aidant la marche qui chancelle,
125 Ils vont sous les portails et le long des piliers
Peuplés de séraphins mêlés aux chevaliers;
Chaque statue, émue à leur pas doux et sombre*,
Vibre, et toutes ont l'air de saluer dans l'ombre*,
Les héros le vieillard, et les anges l'enfant.

130 Parfois Isoretta, que sa grâce défend,
S'échappe dès l'aurore et s'en va jouer seule

_____

1. Elle était l'instrument de ce justicier combattant pour l'État (*res publica*) et pour le bien public. L'épée est lourde du poids de la cause qu'elle défend.

━━━━━━━ QUESTIONS ━━━━━━━

● Vers 102-129. Comment la transition a-t-elle été ménagée avec le passage précédent? L'exclamation du vieux seigneur *C'est une fille, Tant mieux!* semble surprenante : pourquoi? Comment Hugo la justifie-t-il? — Expliquez *flancs refroidis* (vers 109). Quelle est l'idée exprimée dans les vers qui suivent? Expliquez la construction des vers 115-117. — Justifiez l'antithèse du vers 122, l'alliance de mots du vers 123. Expliquez *leur pas doux et sombre* (vers 127). Les coupes sont la plupart du temps régulières dans les vers 120-129 : quelle est la valeur expressive de ce balancement?

Dans quelque grande tour qui lui semble une aïeule,
Et qui mêle, croulante au milieu des buissons,
La légende romane aux souvenirs saxons.
135 Pauvre être qui contient toute une fière race,
Elle trouble, en passant, le bouc, vieillard vorace,
Dans les fentes des murs broutant le câprier;
Pendant que derrière elle on voit l'aïeul prier,
— Car il ne tarde pas à venir la rejoindre,
140 Et cherche son enfant dès qu'il voit l'aube poindre, —
Elle court, va, revient, met sa robe en haillons,
Erre de tombe en tombe et suit des papillons,
Ou s'assied, l'air pensif, sur quelque âpre architrave[1];
Et la tour semble heureuse et l'enfant paraît grave*;
145 La ruine et l'enfance ont de secrets accords,
Car le temps sombre* y met ce qui reste des morts.

IV

UN SEUL HOMME SAIT OÙ EST CACHÉ LE TRÉSOR

Dans ce siècle où tout peuple a son chef qui le broie,
Parmi les rois vautours et les princes de proie,
Certe, on n'en trouverait pas un qui méprisât
150 Final, donjon splendide* et riche marquisat;
Tous les ans, les alleux[2], les rentes[3], les censives[4],
Surchargent vingt mulets de sacoches massives;
La grande tour surveille, au milieu du ciel bleu,
Le sud, le nord, l'ouest et l'est, et saint Mathieu,
155 Saint Marc, saint Luc, saint Jean, les quatre évangélistes,
Sont sculptés et dorés sur les quatre balistes[5];
La montagne a pour garde, en outre, deux châteaux,
Soldats de pierre ayant du fer sous leurs manteaux.

---

1. *Architrave* n'est pas employé ici dans son sens technique précis; 2. *Alleux :* propriétés exemptes de redevances, biens héréditaires du seigneur qui les exploite directement; 3. Il s'agit ici de *rentes* foncières, revenus provenant des terres mises en fermage; 4. *Censives :* terres dépendant d'un fief et devant lui payer le cens. Hugo semble employer *alleux* et *censives* dans le sens de « revenus » plutôt que dans celui de « terres »; 5. *Les balistes :* les canons qui surveillent chacun des quatre points cardinaux.

QUESTIONS

● Vers 130-146. Expliquez *que sa grâce défend* (vers 130) : quelle est l'importance de cette remarque si l'on considère la suite du récit? — Comment se complète ici l'accord de la vieillesse et de l'enfance? Qu'a de touchant le frais passage de l'enfant parmi les tombes? — Quel détail trahit ici les sources germaniques de Victor Hugo?

Le trésor, quand du coffre on détache les boucles,
160 Semble à qui l'entrevoit un rêve d'escarboucles;
Ce trésor est muré dans un caveau discret
Dont le marquis régnant garde le seul secret,
Et qui fut autrefois le puits d'une sachette[1];
Fabrice maintenant connaît seul la cachette;
165 Le fils de Witikind vieilli dans les combats,
Othon[2], scella jadis dans les chambres d'en bas
Vingt caissons dont le fer verrouille les façades,
Et qu'Anselme, plus tard, fit remplir de cruzades[3]
Pour que, dans l'avenir, jamais on n'en manquât;
170 Le casque du marquis est en or de ducat[4];
On a sculpté deux rois persans, Narse et Tigrane[5],
Dans la visière aux trous grillés de filigrane[6],
Et sur le haut cimier, taillé d'un seul onyx,
Un brasier de rubis brûle l'oiseau Phénix;
175 Et le seul diamant du sceptre pèse une once[7].

V

LE CORBEAU

Un matin, les portiers sonnent du cor. Un nonce[8]
Se présente; il apporte, assisté d'un coureur,
Une lettre du roi qu'on nomme l'empereur;

---

1. *Sachette* : recluse s'enfermant pour la vie dans une cellule; 2. Ce nom, comme celui d'Anselme (vers 166), est emprunté au *Dictionnaire* de Moreri, article « Carreto », mais sans aucun souci de précision; 3. *Cruzades* : monnaie d'or du Portugal, portant une croix sur une face; 4. *Or de ducat* : or pur; 5. *Tigrane* : roi d'Arménie (89-86 av. J.-C.), qui soutint son beau-père Mithridate dans sa lutte contre les Romains. — *Narse* (295-301 apr. J.-C.) fut vaincu par Dioclétien; 6. *Filigrane* : travail d'orfèvrerie en forme de filet très fin; 7. *Once* : ancienne unité de poids (environ 30 g); 8. *Nonce* : messager officiel (sens ancien, calqué sur le latin *nuntius*).

■ QUESTIONS

● VERS 147-175. Pourquoi le poète consacre-t-il une partie entière à la révélation de ce trésor caché? Analysez le système de protection de ce trésor. Quels « bijoux » poétiques Hugo a-t-il tirés du coffre des marquis de Final?

● VERS 176-208. Comment le rythme des premiers vers traduit-il le caractère inhabituel de cette visite? La présentation de l'empereur au vers 178 ne vous semble-t-elle pas curieuse? Justifiez-la. — Qu'est-ce qui, dans le nonce, laisse pressentir un traître? Quelle est la raison de la confiance et de la joie de Fabrice? Tire-t-il de cette visite une fierté personnelle? — Pourquoi Fabrice ne tient-il pas compte de l'avertissement du corbeau? Quelle est la raison de son amitié pour le corbeau évoquée dans les vers 207-208?

Ratbert écrit qu'avant de partir pour Tarente
180 Il viendra visiter Isora, sa parente,
Pour lui baiser le front et pour lui faire honneur.

Le nonce, s'inclinant, dit au marquis : — « Seigneur,
Sa majesté ne fait de visites qu'aux reines. »

Au message émané de ses mains très sereines
185 L'empereur joint un don splendide* et triomphant;
C'est un grand chariot plein de jouets d'enfant;
Isora bat des mains avec des cris de joie.

Le nonce, retournant vers celui qui l'envoie,
Prend congé de l'enfant, et, comme procureur[1]
190 Du très victorieux et très noble empereur,
Fait le salut qu'on fait aux têtes souveraines.

— « Qu'il soit le bienvenu! Bas le pont! bas les chaînes!
Dit le marquis; sonnez, la trompe et l'olifant! » —
Et, fier de voir qu'on traite en reine son enfant,
195 La joie a rayonné sur sa face loyale.

Or, comme il relisait la lettre impériale,
Un corbeau qui passait fit de l'ombre* dessus.
— « Les oiseaux noirs* guidaient Judas cherchant Jésus;
Sire, vois ce corbeau[2] », dit une sentinelle.
200 Et, regardant l'oiseau planer sur la tournelle :
— « Bah! dit l'aïeul, j'étais pas plus haut que cela,
Compagnon, que déjà ce corbeau que voilà,
Dans la plus fière tour de toute la contrée
Avait bâti son nid, dont on voyait l'entrée;
205 Je le connais; le soir, volant dans la vapeur,
Il criait; tous tremblaient; mais, loin d'en avoir peur,
Moi petit, je l'aimais; ce corbeau centenaire
Étant un vieux voisin de l'astre et du tonnerre. »

VI

LE PÈRE ET LA MÈRE

Les marquis de Final ont leur royal tombeau
210 Dans une cave où luit, jour et nuit, un flambeau;

---

1. Agissant au nom de l'empereur comme il le ferait lui-même s'il était présent;
procureur a ici son sens le plus général : « celui qui a une procuration »; 2. Le
corbeau a souvent ce rôle prophétique dans les contes rhénans.

Le soir, l'homme qui met de l'huile dans les lampes
A son heure ordinaire en descendit les rampes;
Là, mangé par les vers dans l'ombre* de la mort,
Chaque marquis auprès de sa marquise dort,
215 Sans voir cette clarté qu'un vieil esclave apporte.
A l'endroit même où pend la lampe, sous la porte,
Était le monument des deux derniers défunts;
Pour raviver la flamme et brûler des parfums,
Le serf s'en approcha; sur la funèbre table,
220 Sculpté très ressemblant, le couple lamentable[1]
Dont Isora, sa dame, était l'unique enfant,
Apparaissait; tous deux, dans cet air étouffant,
Silencieux, couchés côte à côte, statues
Aux mains jointes, d'habits seigneuriaux vêtues,
225 L'homme avec son lion, la femme avec son chien.
Il vit que le flambeau nocturne brûlait bien;
Puis, courbé, regarda, des pleurs dans la paupière,
Ce père de granit, cette mère de pierre;
Alors il recula, pâle; car il crut voir
230 Que ces deux fronts, tournés vers la voûte au fond noir*,
S'étaient subitement assombris sur leur couche,
Elle ayant l'air plus triste* et lui l'air plus farouche*.

VII

JOIE AU CHÂTEAU

Une file de longs et pesants chariots
Qui précède ou qui suit les camps impériaux,
235 Marche là-bas avec des éclats de trompette
Et des cris que l'écho des montagnes répète;
Un gros de[2] lances brille à l'horizon lointain.

---

1. *Lamentable :* dont le sort fut malheureux; 2. *Un gros de :* une quantité considérable de.

QUESTIONS

● VERS 209-232. Pourquoi Hugo souligne-t-il que les marquis de Final ont un *royal* tombeau? Ne met-il pas pourtant en valeur le caractère dérisoire de cet apparat posthume? Pourquoi? Relevez des détails réalistes ou sinistres. — Le changement de temps des vers 216-217 se justifie-t-il? — Expliquez la nuance entre l'expression de la statue de la mère et celle de la statue du père. En quoi la brièveté de cette apparition fantastique la rend-elle plus hallucinante encore?

La cloche de Final tinte, et c'est ce matin
Que du noble empereur on attend la visite.

240 On arrache des tours la ronce parasite;
On blanchit à la chaux en hâte les grands murs;
On range dans la cour des plateaux de fruits mûrs,
Des grenades venant des vieux monts Alpujarres[1],
Le vin dans les barils et l'huile dans les jarres;
245 L'herbe et la sauge en fleur jonchent tout l'escalier;
Dans la cuisine un feu rôtit un sanglier;
On voit fumer les peaux des bêtes qu'on écorche;
Et tout rit; et l'on a tendu sous le grand porche
Une tapisserie où Blanche d'Est jadis
250 A brodé trois héros, Macchabée, Amadis,
Achille[2]; et le fanal de Rhode, et le quadrige
D'Aétius[3], vainqueur du peuple latobrige[4];
Et, dans trois médaillons marqués d'un chiffre en or,
Trois poëtes, Platon, Plaute et Scæva Memor[5].
255 Ce tapis autrefois ornait la grande chambre;
Au dire des vieillards, l'effrayant roi sicambre[6],
Witikind, l'avait fait clouer en cet endroit,
De peur que dans leur lit ses enfants n'eussent froid.

VIII

LA TOILETTE D'ISORA

Cris, chansons; et voilà ces vieilles tours vivantes.
260 La chambre d'Isora se remplit de servantes;
Pour faire un digne accueil au roi d'Arle, on revêt
L'enfant de ses habits de fête; à son chevet,

---

1. *Monts Alpujarres :* montagnes de la région de Grenade; 2. Mélange, familier à Hugo, d'un héros de l'histoire sainte *(Macchabée)*, d'un chevalier du Moyen Age *(Amadis*, héros d'un célèbre roman de chevalerie espagnol), d'un héros de l'Antiquité grecque *(Achille)* ; 3. *Aétius :* général romain de la fin du IVe siècle apr. J.-C., qui défendit la Gaule contre les invasions barbares, soumit les peuplades germaniques et contribua à la défaite d'Attila; 4. *Le peuple latobrige :* peuple germanique; 5. *Scaeva Memor* (en réalité Scaevus Memor) : poète latin très peu connu, qui vécut à l'époque de Titus et de Domitien (fin du Ier siècle apr. J.-C.); 6. Les *Sicambres :* autre peuple de Germanie.

● QUESTIONS ●

● VERS 233-258. Quelle est l'importance de la présence des *chariots* dans la suite de Ratbert? Pourquoi Hugo se plaît-il, d'autre part, à souligner les éléments guerriers de cette suite? — Montrez que dans la description qui suit règne un certain désordre : que traduit-il?

L'aïeul, dans un fauteuil d'orme incrusté d'érable,
S'assied, songeant aux jours passés, et, vénérable,
265 Il contemple Isora : front joyeux, cheveux d'or,
Comme les chérubins peints dans le corridor,
Regard d'enfant Jésus que porte la madone,
Joue ignorante où dort le seul baiser qui donne
Aux lèvres la fraîcheur, tous les autres étant
270 Des flammes, même, hélas! quand le cœur est content.
Isore est sur le lit assise, jambes nues;
Son œil bleu rêve avec des lueurs ingénues;
L'aïeul rit, doux reflet de l'aube sur le soir[1]!
Et le sein de l'enfant, demi-nu, laisse voir
275 Ce bouton rose, germe auguste des mamelles;
Et ses beaux petits bras ont des mouvements d'ailes.
Le vétéran[2] lui prend les mains, les réchauffant;
Et, dans tout ce qu'il dit aux femmes, à l'enfant,
Sans ordre, en en laissant deviner davantage,
280 Espèce de murmure enfantin du grand âge,
Il semble qu'on entend parler toutes les voix
De la vie, heur, malheur, à présent, autrefois,
Deuil, espoir, souvenir, rire et pleurs, joie et peine;
Ainsi, tous les oiseaux chantent dans le grand chêne.

285 — « Fais-toi belle; un seigneur va venir; il est bon;
C'est l'empereur; un roi; ce n'est pas un barbon
Comme nous; il est jeune; il est roi d'Arle, en France;
Vois-tu, tu lui feras ta belle révérence,
Et tu n'oublieras pas de dire : monseigneur.
290 Vois tous les beaux cadeaux qu'il nous fait! Quel bonheur!
Tous nos bons paysans viendront, parce qu'on t'aime;
Et tu leur jetteras des sequins d'or, toi-même,
De façon que cela tombe dans leur bonnet. »

Et le marquis, parlant aux femmes, leur prenait
295 Les vêtements des mains :

---

1. La construction est hardie : *l'aïeul rit*, et ce rire est le reflet de l'enfant *(l'aube)* sur le vieillard *(le soir)* ; 2. *Vétéran* : le vieux soldat; le vieux héros.

─────── **QUESTIONS** ───────

● Vers 259-284. Comment Hugo accentue-t-il les ressemblances entre le vieillard et l'enfant? Expliquez l'idée contenue dans les vers 278-284.

● Vers 285-293. Qu'est-ce qui trahit l'émotion un peu folle du vieux Fabrice? Pourquoi voit-il la bonté rayonner partout?

— « Laissez, que je l'habille !

Oh ! quand sa mère était toute petite fille,
Et que j'étais déjà barbe grise, elle avait
Coutume de venir dès l'aube à mon chevet[1] ;
Parfois, elle voulait m'attacher mon épée,
300 Et, de la dureté d'une boucle occupée,
Ou se piquant les doigts aux clous du ceinturon,
Elle riait. C'était le temps où mon clairon
Sonnait superbement* à travers l'Italie.
Ma fille est maintenant sous terre, et nous oublie[2].
305 D'où vient qu'elle a quitté sa tâche, ô dure loi !
Et qu'elle dort déjà quand je veille encor, moi ?
La fille qui grandit sans la mère, chancelle.
Oh ! c'est triste*, et je hais la mort. Pourquoi prend-elle
Cette jeune épousée[3] et non mes pas tremblants ?
310 Pourquoi ces cheveux noirs* et non mes cheveux blancs ? »

Et, pleurant, il offrait à l'enfant des dragées.

— « Les choses ne sont pas ainsi bien arrangées ;
Celui qui fait le choix se trompe ; il serait mieux
Que l'enfant eût la mère et la tombe le vieux.
315 Mais de la mère au moins il sied qu'on se souvienne ;
Et, puisqu'elle a ma place, hélas ! je prends la sienne.

« Vois donc le beau soleil et les fleurs dans les prés !
C'est par un jour pareil, les Grecs étant rentrés
Dans Smyrne, le plus grand de leurs ports maritimes,
320 Que, le bailli de Rhode et moi, nous les battîmes.
Mais regarde-moi donc tous ces beaux jouets-là !
Vois ce reître[4], on dirait un archer d'Attila.
Mais c'est qu'il est vêtu de soie et non de serge !
Et le chapeau d'argent de cette sainte Vierge !
325 Et ce bonhomme en or ! Ce n'est pas très hideux.
Mais comme nous allons jouer demain tous deux !

---

1. Voir, dans *Pauca meæ* (livre IV des *Contemplations*), la pièce « Elle avait pris ce pli dans son âge enfantin... » Léopoldine griffonnait sur les manuscrits de son père ; le détail est ici transposé ; 2. Voir « A celle qui est demeurée en France », dernière pièce des *Contemplations* ; 3. Comme Léopoldine, la mère d'Isora est morte peu de temps après son mariage ; 4. Les *reîtres* furent des cavaliers allemands mercenaires du XVe au XVIIe siècle. Hugo, qui fait ici un anachronisme, emploie le mot dans le sens le plus général de « mercenaire ». Une des pièces de *la Légende des siècles* s'intitule « les Reîtres, chanson barbare » : les mercenaires festoient en faisant sonner les doublons qu'ils viennent de gagner.

Si ta mère était là, qu'elle serait contente!
Ah! quand on est enfant, ce qui plaît, ce qui tente,
C'est un hochet qui sonne un moment dans la main,
330 Peu de chose le soir et rien le lendemain;
Plus tard, on a le goût des soldats véritables,
Des palefrois¹ battant du pied dans les étables,
Des drapeaux, des buccins² jetant de longs éclats,
Des camps, et c'est toujours la même chose, hélas!
335 Sinon qu'alors on a du sang à ses chimères.
Tout est vain. C'est égal, je plains les pauvres mères
Qui laissent leurs enfants derrière elles ainsi. » —

Ainsi parlait l'aïeul, l'œil de pleurs obscurci,
Souriant cependant, car telle est l'ombre* humaine.
340 Tout à l'ajustement de son ange de reine,
Il habillait l'enfant, et, tandis qu'à genoux
Les servantes chaussaient ces pieds charmants et doux,
Et, les parfumant d'ambre, en lavaient la poussière,
Il nouait gauchement la petite brassière,
345 Ayant plus d'habitude aux chemises d'acier.

IX

JOIE HORS DU CHÂTEAU

Le soir vient, le soleil descend dans son brasier;
Et voilà qu'au penchant des mers, sur les collines,
Partout, les milans roux, les chouettes félines,
L'autour glouton, l'orfraie horrible* dont l'œil luit
350 Avec du sang le jour, qui devient feu la nuit,
Tous les tristes oiseaux mangeurs de chair humaine,
Fils de ces vieux vautours nés de l'aigle romaine

---

1. *Palefroi* : cheval de parade; V. Hugo en fait ici un cheval de guerre (destrier);
2. *Buccin* : trompette militaire; le mot, transcrit du latin, existe en français médiéval.

─────── **QUESTIONS** ───────

● Vers 294-345. Comment le passé et le présent se mêlent-ils dans le discours de Fabrice (« Autrefois » et « Aujourd'hui » étaient les deux grandes divisions des *Contemplations*)? Montrez comment Hugo a transposé en langage épique sa douleur personnelle. L'artifice est-il sensible? Analysez la rhétorique des vers 312-316 : vous semble-t-elle naturelle? — En quel sens faut-il prendre *hochet* au vers 329? Les détails de l'habillement d'Isora conviennent-ils à un enfant de cinq ans? Justifiez cette inexactitude.

Que la louve d'airain aux cirques appela[1],
Qui suivaient Marius et connaissaient Sylla,
355 S'assemblent; et les uns, laissant un crâne chauve,
Les autres, aux gibets essuyant leur bec fauve*,
D'autres, d'un mât rompu quittant les noirs* agrès,
D'autres, prenant leur vol du mur des lazarets,
Tous, joyeux et criant, en tumulte et sans nombre,
360 Ils se montrent Final, la grande cime sombre*
Qu'Othon, fils d'Aleram le Saxon, crénela,
Et se disent entre eux : Un empereur est là !

X

SUITE DE LA JOIE

Cloche; acclamations; gémissements; fanfares;
Feux de joie; et les tours semblent toutes des phares,
365 Tant on a, pour fêter ce jour grand à jamais,
De brasiers frissonnants encombré leurs sommets;
La table colossale en plein air est dressée;
Ce qu'on a sous les yeux répugne à la pensée
Et fait peur; c'est la joie effrayante du mal;
370 C'est plus que le démon; c'est moins que l'animal;
C'est la tour du donjon tout entière rougie
D'une prodigieuse et ténébreuse* orgie;
C'est Final, mais Final vaincu, tombé, flétri;
C'est un chant dans lequel semble se tordre un cri;
375 Un gouffre* où les lueurs de l'enfer sont voisines
Du rayonnement calme et joyeux des cuisines;
Le triomphe de l'ombre*, obscène, effronté, cru;
Le souper de Satan dans un rêve apparu.

A l'angle de la cour, ainsi qu'un témoin sombre*,
380 Un squelette de tour, formidable* décombre,
Sur son faîte vermeil* d'où s'enfuit le corbeau,
Dresse et secoue aux vents, brûlant comme un flambeau,

---

1. Ces deux vers sont extrêmement confus : les vautours qui regardent Final sont les descendants de ceux qui allaient se repaître des cadavres des captifs (*nés de l'aigle romaine*, c'est-à-dire des victoires de l'armée romaine dont l'étendard était surmonté d'un aigle) mis à mort au cours des jeux du cirque.

───── QUESTIONS ─────

● Vers 346-362. Quel est le rôle de ce passage? Quel est l'effet produit par le contraste brutal? Relevez des détails d'un réalisme horrible. Comment est amené le trait final? Peut-il viser directement Napoléon III?

Tout le branchage et tout le feuillage d'un orme;
Valet géant portant un chandelier énorme.
385 Le drapeau de l'empire, arboré sur ce bruit,
Gonfle son aigle immense au souffle de la nuit.

[Les vers 387-430 décrivent l'orgie, toute proche de celle qui est décrite dans *les Châtiments* (IV, 13, « On loge à la nuit »). Au milieu des soldats, des prêtres et des femmes, trône Ratbert.]

431 Les grands brasiers, ouvrant leur gouffre* d'étincelles,
Font resplendir les ors d'un chaos de vaisselles;
On ébrèche aux moutons, aux lièvres montagnards,
Aux faisans, les couteaux tout à l'heure poignards;
435 Sixte Malaspina[1], derrière le roi, songe;
Toute lèvre se rue à l'ivresse et s'y plonge;
On achève un mourant en perçant un tonneau;
L'œil croit, parmi les os de chevreuil et d'agneau,
Aux tremblantes clartés que les flambeaux prolongent,
440 Voir des profils humains dans ce que les chiens rongent;
Des chanteurs grecs, portant des images d'étain
Sur leurs chapes, selon l'usage byzantin,
Chantent Ratbert, césar, roi, vainqueur, dieu, génie,
On entend sous les bancs des soupirs d'agonie;
445 Une odeur de tuerie et de cadavres frais
Se mêle au vague encens brûlant dans les coffrets
Et les boîtes d'argent sur des trépieds de nacre;
Les pages, les valets, encor chauds du massacre,
Servent dans le banquet leur empereur, ravi
450 Et sombre*, après l'avoir dans le meurtre servi;
Sur le bord des plats d'or on voit des mains sanglantes;

---

1. *Sixte Malaspina* ; marquis, l'un des conseillers de Ratbert. C'est un jeune homme particulièrement cruel qui « sait l'art d'évoquer le démon » (« les Conseillers probes et libres », vers 169).

──────── **QUESTIONS** ────────

● Vers 363-386. Comment le poète a-t-il réussi à créer l'atmosphère de confusion qui règne au château de Final? Commentez en particulier la succession des noms dans les vers 363-364 : s'agit-il des cris de joie des habitants du château accueillant leur hôte royal ou de ceux des bandits devenus maîtres de la place qu'ils convoitaient? — Expliquez le vers 371 : l'antithèse est-elle juste ou artificielle? Quelle est la valeur de l'alliance de mots : *rougie* [...] *par une ténébreuse orgie?* — Pourquoi *le corbeau* s'enfuit-il (vers 381)? Commentez l'image de la tour-chandelier. — A quels éléments de la partie précédente renvoient les vers 385-386?

Ratbert s'accoude avec des poses indolentes ;
Au-dessus du festin, dans le ciel blanc du soir,
De partout, des hanaps, du buffet, du dressoir,
455 Des plateaux où les paons ouvrent leurs larges queues,
Des vaisselles où brûle un philtre aux lueurs bleues,
Des verres, d'hypocras[1] et de vin écumants,
Des bouches des buveurs, des bouches des amants,
S'élève une vapeur gaie, ardente, enflammée,
460 Et les âmes des morts sont dans cette fumée.

XI

TOUTES LES FAIMS SATISFAITES

C'est que les noirs* oiseaux de l'ombre* ont eu raison,
C'est que l'orfraie a bien flairé la trahison,
C'est qu'un fourbe a surpris le vaillant sans défense,
C'est qu'on vient d'écraser la vieillesse et l'enfance.
465 En vain quelques soldats fidèles ont voulu
Résister, à l'abri d'un créneau vermoulu ;
Tous sont morts ; et de sang les dalles sont trempées ;
Et la hache, l'estoc, les masses, les épées,
N'ont fait grâce à pas un, sur l'ordre que donna
470 Le roi d'Arle au prévôt[2] Sixte Malaspina.
Et, quant aux plus mutins, c'est ainsi que les nomme
L'aventurier royal fait empereur par Rome,
Trente sur les crochets et douze sur le pal
Expirent au-dessus du porche principal.

475 Tandis qu'en joyeux chants les vainqueurs se répandent,
Auprès de ces poteaux et de ces croix où pendent
Ceux que Malaspina vient de supplicier,

---

1. *Hypocras :* vin sucré dans lequel a infusé de la cannelle ; 2. *Prévôt :* au sens étymologique du « préposé ».

──────── **QUESTIONS** ────────

● Vers 431-460. Comment le mélange du *massacre* et de l'*orgie* est-il suggéré ? Relevez des détails qui montrent : *a)* leur concomitance ; *b)* la transformation des « instruments » du meurtre (choses et hommes) ; *c)* le mélange de leurs relents. Relevez et commentez les notations où intervient le merveilleux. Expliquez en particulier le vers 460. — Justifiez l'attitude de Sixte Malaspina et de Ratbert : l'un *songe* (vers 435) ; l'autre est *ravi et sombre* (vers 449-450). — Étudiez le rythme des vers 453-460. Pourquoi le passage s'achève-t-il sur une rime féminine ?

Corbeaux, hiboux, milans, tout l'essaim carnassier,
Venus des monts, des bois, des cavernes, des havres[1],
480 S'abattent par volée, et font sur les cadavres
Un banquet, moins hideux que celui d'à côté.

Ah! le vautour est triste* à voir, en vérité,
Déchiquetant sa proie et planant; on s'effraie
Du cri de la fauvette aux griffes de l'orfraie;
485 L'épervier est affreux* rongeant des os brisés;
Pourtant, par l'ombre* immense on les sent excusés,
L'impénétrable faim est la loi de la terre,
Et le ciel, qui connaît la grande énigme austère[2],
La nuit, qui sert de fond au guet mystérieux
490 Du hibou promenant la rondeur de ses yeux
Ainsi qu'à l'araignée ouvrant ses pâles toiles,
Met à ce festin sombre* une nappe d'étoiles;
Mais l'être intelligent, le fils d'Adam, l'élu
Qui doit trouver le bien après l'avoir voulu,
495 L'homme exterminant l'homme et riant, épouvante,
Même au fond de la nuit, l'immensité vivante,
Et, que le ciel soit noir* ou que le ciel soit bleu,
Caïn tuant Abel est la stupeur* de Dieu.

XII

QUE C'EST FABRICE QUI EST UN TRAÎTRE

Un homme, qu'un piquet de lansquenets[3] escorte,
500 Qui tient une bannière inclinée, et qui porte

---

1. *Havres* : ports; 2. *Austère* : dont la loi est rigoureuse; 3. *Lansquenets* : mercenaires allemands des XVe-XVIe siècles; Hugo commet encore ici un anachronisme.

━━━ **QUESTIONS** ━━━

● VERS 461-498. Quels sont les éléments du style qui montrent qu'il devient plus oratoire, que le ton s'enfle, que le récit prend l'allure d'une accusation? Que met en valeur l'enjambement des vers 469-470? Relevez un vers qui constitue une attaque directe contre Napoléon III. — Étudiez le rythme des vers 475-481 : quel est le sommet de cette période? Comment est-il mis en valeur? — Quelle est l'idée générale des vers 482-498? Quelle est son importance si l'on considère l'ensemble de *la Légende des siècles*? Quel est l'effet produit par l'allitération du vers 482? L'ordre des termes *déchiquetant* et *planant* (vers 483) vous paraît-il normal? Justifiez-le. Commentez les allitérations des vers 483-485 : comment la progression dans l'horreur est-elle ménagée? Que pensez-vous de l'image du vers 492? Commentez le rythme des vers 493-498 : comment traduit-il l'indignation du poète?

Une jacque[1] de vair taillée en éventail,
Un héraut, fait ce cri devant le grand portail :

« Au nom de l'empereur clément et plein de gloire,
— Dieu le protège! — peuple! il est pour tous notoire
505 Que le traître marquis Fabrice d'Albenga
Jadis avec les gens des villes se ligua,
Et qu'il a maintes fois guerroyé[2] le saint-siège;
C'est pourquoi l'empereur très clément, — Dieu protège
L'empereur! — le citant à son haut tribunal,
510 A pris possession de l'état de Final. »

L'homme ajoute, dressant sa bannière penchée :
— « Qui me contredira, soit sa tête tranchée,
Et ses biens confisqués à l'empereur. J'ai dit. »

XIII

SILENCE

Tout à coup on se tait; ce silence grandit,
515 Et l'on dirait qu'au choc brusque d'un vent qui tombe,
Cet enfer a repris sa figure de tombe;
Ce pandémonium[3], ivre d'ombre* et d'orgueil,
S'éteint; c'est qu'un vieillard a paru sur le seuil;
Un prisonnier, un juge, un fantôme; l'ancêtre!

520 C'est Fabrice.

On l'amène à la merci du maître.

---

1. *Jacque* (ordinairement écrit *jaque*) : habit court et étroit, sorte de justau-corps; 2. Le verbe *guerroyer* est normalement intransitif. La construction employée ici crée un faux archaïsme; 3. *Pandémonium* : lieu où toutes les corruptions de l'enfer se trouvent accumulées.

━━ QUESTIONS ━━

● VERS 499-513. Pourquoi Hugo fait-il paraître le héraut *devant le grand portail* (reportez-vous à la partie VII)? — L'accusation portée contre Fabrice d'Albenga est-elle fondée (reportez-vous à la partie I)? Cela veut-il dire que Victor Hugo la trouve légitime? Quel effet produit la parenthèse répétée *Dieu le protège?* la répétition de *clément?* Quels mots contredisent cet adjectif? Qu'est-ce qui, dans la proclamation du héraut, trahit la cupidité de Ratbert? — Relevez les caractéristiques essentielles du style de la proclamation : comment l'alexandrin peut-il les reproduire?

Ses blêmes cheveux blancs couronnent sa pâleur ;
Il a les bras liés au dos comme un voleur ;
Et, pareil au milan qui suit des yeux sa proie,
Derrière le captif marche, sans qu'il le voie,
525 Un homme qui tient haute une épée à deux mains.

Matha[1], fixant sur lui ses beaux yeux inhumains,
Rit sans savoir pourquoi, rire étant son caprice.
Dix valets de la lance environnent Fabrice.
Le roi dit : — « Le trésor est caché dans un lieu
530 Qu'ici tu connais seul, et je jure par Dieu
Que, si tu dis l'endroit, marquis, ta vie est sauve. »

Fabrice lentement lève sa tête chauve
Et se tait.

      Le roi dit : — « Es-tu sourd, compagnon ? »

Un reître[2] avec le doigt fait signe au roi que non.
535 — « Marquis, parle ! ou sinon, vrai comme je me nomme
Empereur des Romains, roi d'Arle et gentilhomme,
Lion, tu vas japper ainsi qu'un épagneul.
Ici, bourreaux ! — Réponds, le trésor ? »

                       Et l'aïeul
Semble, droit et glacé parmi les fers de lance,
540 Avoir déjà pris place en l'éternel silence.

Le roi dit : — « Préparez les coins et les crampons[3].
Pour la troisième fois, parleras-tu ? Réponds. »

Fabrice, sans qu'un mot d'entre ses lèvres sorte,
Regarde le roi d'Arle et d'une telle sorte,
545 Avec un si superbe* éclair, qu'il l'interdit ;
Et Ratbert, furieux sous ce regard, bondit
Et crie, en s'arrachant le poil de la moustache :
— « Je te trouve idiot et mal en point, et sache
Que les jouets d'enfant étaient pour toi, vieillard !
550 Çà, rends-moi ce trésor, fruit de tes vols, pillard !

---

1. *Matha :* la compagne de Ratbert ; 2. *Reître :* voir la note du vers 322 ; 3. Appareils de torture.

Et ne m'irrite pas, ou ce sera ta faute,
Et je vais envoyer sur ta tour la plus haute
Ta tête au bout d'un pieu se taire dans la nuit. »

Mais l'aïeul semble d'ombre* et de pierre construit ;
555 On dirait qu'il ne sait pas même qu'on lui parle.

— « Le brodequin[1] ! A toi, bourreau ! » dit le roi d'Arle.

Le bourreau vient, la foule effarée écoutait.

On entend l'os crier, mais la bouche se tait.
Toujours prêt à frapper le prisonnier en traître,
560 Le coupe-tête jette un coup d'œil à son maître.

— « Attends que je te fasse un signe », dit Ratbert.
Et, reprenant :

         — « Voyons, toi chevalier haubert[2],
Mais cadet, toi marquis, mais bâtard, si tu donnes
Ces quelques diamants de plus à mes couronnes,
565 Si tu veux me livrer ce trésor, je te fais
Prince, et j'ai dans mes ports dix galères de Fez
Dont je te fais présent avec cinq cents esclaves. »

Le vieillard semble sourd et muet.

               — « Tu me braves !
Eh bien ! tu vas pleurer », dit le fauve* empereur.

---

  1. *Brodequin* : instrument de torture, destiné à serrer pieds et jambes du patient jusqu'à les broyer ; 2. *Haubert* est employé ici comme adjectif, conformément à l'ancienne langue : « revêtu du haubert ». Le haubert, sorte de cotte de mailles qui protégeait la nuque et le corps, était un insigne de noblesse. (Voir *la Chanson de Roland*.)

━━ QUESTIONS ━━

● VERS 514-569. Quelles sont les différentes étapes de cette confrontation ? Opposez à chaque fois l'attitude de Fabrice et celle de Ratbert. Montrez la progression dans l'attitude silencieuse de Fabrice. — Commentez les quatre substantifs appliqués au vieillard, au vers 519 ; quel vers, dans les vers suivants, développe *un fantôme ?* Quelle valeur prend *un juge* venant après la partie précédente (voir son titre) ? Expliquez *blêmes ;* commentez *couronnent* (vers 521). — Qu'a d'odieux le serment *par Dieu* de Ratbert (vers 530) ? Que penser du titre qu'il se donne de *gentilhomme* (vers 536), de son attitude du vers 547 ? Sa conduite est-elle cohérente ? Est-il complètement aveuglé par la colère ou est-il capable de calculer et de prévoir les châtiments qu'il infligera à sa victime ? Le ton négligent et méprisant du vers 564 est-il feint ?

XIV

RATBERT REND L'ENFANT À L'AÏEUL

570 Et voici qu'on entend comme un souffle d'horreur*
Frémir, même en cette ombre* et même en cette horde.
Une civière passe, il y pend une corde;
Un linceul la recouvre; on la pose à l'écart;
On voit deux pieds d'enfant qui sortent du brancard.
575 Fabrice, comme au vent se renverse un grand arbre,
Tremble, et l'homme de chair sous cet homme de marbre
Reparaît; et Ratbert fait lever le drap noir*.

C'est elle! Isora! pâle, inexprimable à voir,
Étranglée; et sa main crispée, et cela navre,
580 Tient encore un hochet; pauvre petit cadavre!

L'aïeul tressaille avec la force d'un géant;
Formidable*, il arrache au brodequin béant
Son pied dont le bourreau vient de briser le pouce;
Les bras toujours liés, de l'épaule il repousse
585 Tout ce tas de démons, et va jusqu'à l'enfant,
Et sur ses deux genoux tombe, et son cœur se fend.
Il crie en se roulant sur la petite morte :

— « Tuée! ils l'ont tuée! et la place était forte,
Le pont avait sa chaîne et la herse ses poids,
590 On avait des fourneaux pour le soufre et la poix,
On pouvait mordre avec ses dents le roc farouche*,
Se défendre, hurler, lutter, s'emplir la bouche
De feu, de plomb fondu, d'huile, et les leur cracher
A la figure avec les éclats du rocher!
595 Non! on a dit : « Entrez », et, par la porte ouverte,
Ils sont entrés! la vie à la mort s'est offerte!
On a livré la place, on n'a point combattu!
Voilà la chose; elle est toute simple; ils n'ont eu
Affaire qu'à ce vieux misérable imbécile!

━━━━━━ QUESTIONS ━━━━━━

● VERS 570-587. Quelle est la force du vers 571? Montrez avec quelle habileté le poète nous fait partager les mouvements de l'âme de Fabrice : le doute affreux, puis la révélation de la vérité. Expliquez le détail du vers 572 : *il y pend une corde.* — Quelle grandeur épique Hugo confère-t-il à Fabrice?

600 Égorger un enfant, ce n'est pas difficile.
Tout à l'heure, j'étais tranquille, ayant peu vu
Qu'on tuât des enfants, et je disais : « Pourvu
Qu'Isora vive, eh bien! après cela, qu'importe? —
Mais l'enfant! O mon Dieu! c'est donc vrai qu'elle est morte!
605 Penser que nous étions là tous deux hier encor!
Elle allait et venait dans un gai rayon d'or;
Cela jouait toujours, pauvre mouche éphémère!
C'était la petite âme errante de sa mère!
Le soir, elle posait son doux front sur mon sein,
610 Et dormait... — Ah! brigand! assassin! assassin! »

Il se dressait, et tout tremblait dans le repaire[1],
Tant c'était la douleur d'un lion et d'un père,
Le deuil, l'horreur*, et tant ce sanglot rugissait!

— « Et moi qui, ce matin, lui nouais son corset!
615 Je disais : « Fais-toi belle, enfant! » Je parais l'ange
Pour le spectre. — Oh! ris donc là-bas, femme de fange[2]!
Riez tous! Idiot, en effet, moi qui crois
Qu'on peut se confier aux paroles des rois
Et qu'un hôte n'est pas une bête féroce!
620 Le roi, les chevaliers, l'évêque avec sa crosse,
Ils sont venus, j'ai dit : « Entrez »; c'étaient des loups!
Est-ce qu'ils ont marché sur elle avec des clous
Qu'elle est toute meurtrie? Est-ce qu'ils l'ont battue?
Et voilà maintenant nos filles qu'on nous tue
625 Pour voler un vieux casque en vieil or de ducat!
Je voudrais que quelqu'un d'honnête m'expliquât
Cet événement-ci, voilà ma fille morte!
Dire qu'un empereur vient avec une escorte,
Et que des gens nommés Farnèse, Spinola,
630 Malaspina, Cibo[3], font de ces choses-là,

---

1. Repaire de brigands, mais aussi repaire de ce lion qu'est devenu Fabrice hurlant sa douleur (voir le vers suivant); 2. Fabrice s'adresse à Matha; 3. *Malaspina* (cité v. 435) et les autres noms de ces conseillers italiens sont tous tirés du *Lorenzaccio* de Musset (voir notamment I, IV).

━━━━━━━ QUESTIONS ━━━━━━━

● VERS 588-600. Quel est ce premier mouvement du discours de Fabrice? Analysez l'idée et le rythme des vers 590-594; commentez les rimes des vers 591-594.
● VERS 601-616. Quel est ce second mouvement? L'interruption des vers 611-613 est-elle naturelle? expressive? Expliquez *Je parais l'ange pour le spectre.*

Et qu'on se met à cent, à mille, avec ce prêtre,
Ces femmes, pour venir prendre un enfant en traître,
Et que l'enfant est là, mort, et que c'est un jeu,
C'est à se demander s'il est encore un Dieu,
635 Et si, demain, après de si lâches désastres,
Quelqu'un osera faire encor lever les astres!
M'avoir assassiné ce petit être-là!
Mais c'est affreux d'avoir à se mettre cela
Dans la tête, que c'est fini, qu'ils l'ont tuée,
640 Qu'elle est morte! — Oh! ce fils de la prostituée[1],
Ce Ratbert, comme il m'a hideusement trompé!
O Dieu! de quel démon est cet homme échappé?
Vraiment! est-ce donc trop espérer que de croire
Qu'on ne va point, par ruse et par trahison noire*,
645 Massacrer des enfants, broyer des orphelins,
Des anges, de clarté céleste encor tout pleins?
Mais c'est qu'elle est là, morte, immobile, insensible!
Je n'aurais jamais cru que cela fût possible.
Il faut être le fils de cette infâme Agnès!
650 Rois! j'avais tort jadis quand je vous épargnais,
Quand, pouvant vous briser au front le diadème,
Je vous lâchais, j'étais un scélérat moi-même,
J'étais un meurtrier d'avoir pitié de vous!
Oui, j'aurais dû vous tordre entre mes serres, tous!
655 Est-ce qu'il est permis d'aller dans les abîmes
Reculer la limite effroyable des crimes[2],
De voler, oui, ce sont des vols, de faire un tas
D'abominations, de maux et d'attentats,
De tuer des enfants et de tuer des femmes,
660 Sous prétexte qu'on fut, parmi les oriflammes
Et les clairons, sacré devant le monde entier
Par Urbain quatre, pape, et fils d'un savetier[3]!

---

1. Dans « les Conseillers probes et libres », Hugo a comparé la mère de Ratbert, Agnès, comtesse d'Elseneur, à Messaline. Mais, dans la pensée du poète,
elle ne fait qu'une avec Hortense de Beauharnais, la mère de Napoléon III, souvent
flétrie dans les Châtiments. De même, on peut remplacer les noms de Spinola,
Malaspina ou Cibo par ceux de Persigny, Rouher ou Morny; 2. D'aller au-delà
des crimes qu'il est possible d'imaginer; 3. Détail emprunté au Dictionnaire de
Moreri. Hugo aimait aussi à rappeler l'humble origine du pape Pie IX, qui, lui,
avait refusé de venir sacrer Napoléon III à Paris.

━━━━━━━━ QUESTIONS ━━━━━━━━

● VERS 617-649. Quels sont les deux éléments essentiels de ce troisième
mouvement? Comment sont-ils combinés?

Que voulez-vous qu'on fasse à de tels misérables!
Avoir mis son doigt noir* sur ces yeux adorables!
665 Ce chef-d'œuvre du Dieu vivant, l'avoir détruit!
Quelle mamelle d'ombre* et d'horreur* et de nuit,
Dieu juste, a donc été de ce monstre nourrice?
Un tel homme suffit pour qu'un siècle pourrisse.
Plus de bien ni de mal, plus de droit, plus de lois.
670 Est-ce que le tonnerre est absent quelquefois?
Est-ce qu'il n'est pas temps que la foudre se prouve,
Cieux profonds*, en broyant ce chien, fils de la louve[1]?
Oh! sois maudit, maudit, maudit, et sois maudit,
Ratbert, empereur, roi, césar, escroc, bandit!
675 O grand vainqueur d'enfants de cinq ans! maudits soient
Les pas que font tes pieds, les jours que tes yeux voient,
Et la gueuse qui t'offre en riant son sein nu,
Et ta mère publique, et ton père inconnu[2]!
Terre et cieux! c'est pourtant bien le moins qu'un doux être
680 Qui joue à notre porte et sous notre fenêtre,
Qui ne fait rien que rire et courir dans les fleurs,
Et qu'emplir de soleil nos pauvres yeux en pleurs,
Ait le droit de jouir de l'aube qui l'enivre,
Puisque les empereurs laissent les forçats vivre,
685 Et puisque Dieu, témoin des deuils et des horreurs*,
Laisse sous le ciel noir* vivre les empereurs! »

---

1. *Fils de la louve* : fils de la prostituée; 2. Même reproche adressé, dans *les Châtiments* (VI, XI, « le Parti du crime »), au
... Bonaparte apocryphe
A coup sûr Beauharnais, peut-être Vernhuel.

━━━━━━━ **QUESTIONS** ━━━━━━━━━━━━━━━━━━━━━

● Vers 650-686. Comment s'élargit ce quatrième mouvement? Nuit-il au caractère lyrique du morceau? Fabrice apparaît-il trop comme le porte-parole de Hugo? Opposez le vers 669 et le vers 443. La suite des idées vous paraît-elle satisfaisante dans les vers 679-686?

■ Sur l'ensemble de la partie XIV. — Comparez la transformation de Fabrice et son discours à ceux du « Satyre ».

— Comparez ses plaintes et celles de la grand-mère dans *les Châtiments* (« Souvenir de la nuit du 4 »).

— Retrouve-t-on les divers mouvements des sentiments du père dans *les Contemplations* : la stupéfaction, le refus de croire à la réalité; la folie dans le désespoir; la révolte contre Dieu; la soumission; la confrontation apaisée, mais douloureuse du passé et du présent; l'espoir secret que la morte est en rapport avec les vivants qui ne l'oublient pas?

XV

LES DEUX TÊTES

Ratbert, en ce moment, distrait jusqu'à sourire,
Écoutait Afranus[1] à voix basse lui dire :
— « Majesté, le caveau du trésor est trouvé. »

690 L'aïeul pleurait.

              — « Un chien, au coin des murs crevé,
Est un être enviable auprès de moi. Va, pille,
Vole, égorge, empereur ! O ma petite fille,
Parle-moi ! Rendez-moi mon doux ange, ô mon Dieu !
Elle ne va donc pas me regarder un peu ?
695 Mon enfant ! Tous les jours nous allions dans les lierres.
Tu disais : « Vois les fleurs », et moi : « Prends garde aux
                                [pierres ! »
Et je la regardais, et je crois qu'un rocher
Se fût attendri rien qu'en la voyant marcher.
Hélas ! avoir eu foi dans ce monstrueux drôle !
700 Mets ta tête adorée auprès de mon épaule.
Est-ce que tu m'en veux ? C'est moi qui suis là ! Dis,
Tu n'ouvriras donc plus tes yeux du paradis !
Je n'entendrai donc plus ta voix, pauvre petite !
Tout ce qui me tenait aux entrailles me quitte ;
705 Et ce sera mon sort, à moi, le vieux vainqueur,
Qu'à deux reprises Dieu m'ait arraché le cœur,
Et qu'il ait retiré de ma poitrine amère
L'enfant, après m'avoir ôté du flanc la mère !
Mon Dieu, pourquoi m'avoir pris cet être si doux ?
710 Je n'étais pourtant pas révolté contre vous,
Et je consentais presque à ne plus avoir qu'elle.
Morte ! et moi, je suis là, stupide* qui l'appelle !
Oh ! si je n'avais pas les bras liés, je crois
Que je réchaufferais ses pauvres membres froids.

---

1. *Afranus* a été présenté, dans « les Conseillers probes et libres », comme l'évêque de Fréjus.

——————— QUESTIONS ———————

● VERS 687-720. Qu'ajoutent ces dernières paroles de Fabrice à ses plaintes précédentes ? Sont-elles plus purement lyriques ? Expliquez l'attitude de Ratbert au vers 717 : pourquoi fait-il tuer Fabrice à ce moment précis ?

715 Comme ils l'ont fait souffrir ! la corde l'a coupée.
Elle saigne. »
         Ratbert, blême et la main crispée,
Le voyant à genoux sur son ange dormant,
Dit : — « Porte-glaive, il est ainsi commodément. »

Le porte-glaive fit, n'étant qu'un misérable,
720 Tomber sur l'enfant mort la tête vénérable.

Et voici ce qu'on vit dans ce même instant-là :

La tête de Ratbert sur le pavé roula,
Hideuse, comme si le même coup d'épée,
Frappant deux fois, l'avait avec l'autre coupée.

725 L'horreur* fut inouïe* ; et tous, se retournant,
Sur le grand fauteuil d'or du trône rayonnant
Aperçurent le corps de l'empereur sans tête,
Et son cou d'où sortait, dans un bruit de tempête,
Un flot rouge, un sanglot de pourpre[1], éclaboussant
730 Les convives, le trône et la table, de sang.

Alors dans la clarté d'abîme* et de vertige*
Qui marque le passage énorme d'un prodige,
Des deux têtes on vit l'une, celle du roi,
Entrer sous terre et fuir dans le gouffre* d'effroi
735 Dont l'expiation formidable* est la règle,
Et l'autre s'envoler avec des ailes d'aigle.

XVI

APRÈS JUSTICE FAITE

L'ombre* couvre à présent Ratbert, l'homme de nuit.
Nos pères — c'est ainsi qu'un nom s'évanouit —
Défendaient d'en parler, et du mur de l'histoire
740 Les ans ont effacé cette vision noire*.

---

1. Image empruntée à Virgile, *l'Enéide*, ix, 331-332 :
      ...*Truncumque relinquit | sanguine singultantem*...
      « Il laisse le tronc qui jette des sanglots de sang. »

QUESTIONS

● VERS 721-736. Comparez le châtiment de Ratbert et celui de Tiphaine
dans « l'Aigle du casque ».

Le glaive qui frappa ne fut point aperçu;
D'où vint ce sombre* coup, personne ne l'a su;
Seulement, ce soir-là, bêchant pour se distraire,
Héraclius le Chauve, abbé de Joug-Dieu, frère
745 D'Acceptus, archevêque et primat de Lyon,
Étant aux champs avec le diacre Pollion[1],
Vit, dans les profondeurs* par les vents remuées,
Un archange essuyer son épée aux nuées[2].

XXII. SEIZIÈME SIÈCLE. RENAISSANCE. PAGANISME

LE SATYRE

Rédaction : terminée en **mars 1859. Publication : 1859. Sources :**
diverses, mais la plus déterminante est la *VIe Bucolique* de Virgile,
où Silène chantait la formation des mondes et des êtres à partir
du chaos primitif.

La place centrale occupée par ce poème, tant dans l'édition
de 1859 que dans l'édition complète de 1883, est significative : au
cœur du livre, comme au cœur de l'histoire, se situe un tournant
indiquant la voie du progrès vers la lumière. La Renaissance, en
retrouvant la foi dans les forces de la nature primitive, a, selon

---

1. Les noms et les titres de ces personnages ont été pris dans l'article « Beaujeu » du *Dictionnaire* de Moreri; 2. Image qui rappelle la description des nuages dans *les Feuilles d'automne* :

> « Sous leurs flots par moments flamboie un pâle éclair
> Comme si tout à coup quelque géant de l'air
> Tirait son glaive dans les nues » (« Soleils couchants »).

--- **QUESTIONS** ---

● VERS 737-748. Quelle est l'importance de l'image du vers 739 (voir
« la Vision d'où est sorti ce livre », qui est postérieure à ce poème)?
En comparant avec les vers des *Feuilles d'automne* cités en note, vous
étudierez la transformation épique d'une image déjà utilisée par Hugo.

■ SUR L'ENSEMBLE DE « LA CONFIANCE DU MARQUIS FABRICE ». — Quel
est le procédé essentiel de composition dans ce poème? Comment
Victor Hugo l'a-t-il utilisé?

— Comment les exigences d'un récit cruel de caractère historique
ont-elles pu laisser filtrer des épanchements personnels et des attaques
actuelles? Quelle était la portée satirique réelle de ce poème en 1857?
En conserve-t-il une encore aujourd'hui?

— Expliquez ce qui fait l'originalité de cette quatrième romance de
« Ratbert ».

Hugo, préparé l'avènement du panthéisme futur. En réalité, les idées exprimées dans ce grand mythe n'appartiennent ni à l'Antiquité ni au XVIe siècle, mais à la philosophie du poète, dont « Ce que dit la bouche d'ombre », dans *les Contemplations*, et *Dieu* contenaient l'essentiel : déchéance de l'homme depuis la création du monde, rédemption future des êtres, animisme universel.

PROLOGUE

LE SATYRE

Un satyre habitait l'Olympe, retiré
Dans le grand bois sauvage au pied du mont sacré*;
Il vivait là, chassant, rêvant, parmi les branches;
Nuit et jour, poursuivant les vagues formes blanches,
5 Il tenait à l'affût les douze ou quinze sens
Qu'un faune[1] peut braquer sur les plaisirs passants.
Qu'était-ce que ce faune? On l'ignorait; et Flore
Ne le connaissait point, ni Vesper[2], ni l'Aurore[3]
Qui sait tout, surprenant le regard du réveil.
10 On avait beau parler à l'églantier vermeil*,
Interroger le nid, questionner le souffle,
Personne ne savait le nom de ce maroufle.
Les sorciers[4] dénombraient presque tous les sylvains;
Les ægipans étant fameux comme les vins;
15 En voyant la colline on nommait le satyre[5];
On connaissait Stulcas[6], faune de Pallantyre,
Gès, qui le soir riait, sur le Ménale[7] assis,
Bos, l'ægipan de Crète; on entendait Chrysis,
Sylvain du Ptyx[8] que l'homme appelle Janicule[9],
20 Qui jouait de la flûte au fond du crépuscule;
Anthrops, faune du Pinde[10], était cité partout;
Celui-ci, nulle part; les uns le disaient loup,
D'autres le disaient dieu, prétendant s'y connaître;

---

1. Hugo utilise indifféremment les mots *faune*, *satyre*, *ægipan* et *sylvain*; 2. *Vesper* : l'étoile du soir; 3. *L'Aurore* : déesse chez les Anciens; 4. Les *sorciers* n'existaient pas dans la mythologie classique; 5. C'est-à-dire « le satyre qui y habitait »; 6. *Stulcas, Pallantyre, Gès, Bos, Chrysis, Anthrops* : mots forgés par Hugo; 7. *Le Ménale* : montagne d'Arcadie; 8. *Ptyx* : sans doute calqué sur le mot grec; signifierait simplement « colline »; 9. *Le Janicule* : colline de Rome située sur la rive droite du Tibre; 10. *Le Pinde* : montagne de Grèce consacrée à Apollon.

Mais, en tout cas, qu'il fût tout ce qu'il pouvait être,
25 C'était un garnement de dieu fort mal famé.

Tout craignait ce sylvain à toute heure allumé;
La bacchante¹ elle-même en tremblait; les napées²
S'allaient blottir aux trous des roches escarpées;
Écho barricadait son antre trop peu sûr;
30 Pour ce songeur velu, fait de fange et d'azur,
L'andryade³ en sa grotte était dans une alcôve;
De la forêt profonde* il était l'amant fauve*;
Sournois, pour se jeter sur elle, il profitait
Du moment où la nymphe, à l'heure où tout se tait,
35 Éclatante, apparaît dans le miroir des sources;
Il arrêtait Lycère et Cloé⁴ dans leurs courses;
Il guettait, dans les lacs qu'ombrage le bouleau,
La naïade qu'on voit radieuse sous l'eau
Comme une étoile ayant la forme d'une femme;
40 Son œil lascif errait la nuit comme une flamme;
Il pillait les appâts splendides* de l'été;
Il adorait la fleur, cette naïveté;
Il couvait d'une tendre et vaste convoitise
Le muguet, le troène embaumé, le cytise,
45 Et ne s'endormait pas même avec le pavot;
Ce libertin était à la rose dévot;
Il était fort infâme au mois de mai; cet être
Traitait, regardant tout comme par la fenêtre,
Flore de mijaurée et Zéphir de marmot;
50 Si l'eau murmurait : J'aime! il la prenait au mot,
Et saisissait l'Ondée⁵ en fuite sous les herbes;
Ivre de leurs parfums, vautré parmi leurs gerbes,
Il faisait une telle orgie avec les lys,
Les myrtes, les sorbiers de ses baisers pâlis⁶,

---

1. *Bacchante :* prêtresse de Dionysos; 2. *Napée :* nymphe des vallées, d'après Virgile (*Géorg.*, IV, 535); 3. *Andryade :* mot forgé, semble-t-il, par Hugo, peut-être par une sorte d'analogie avec « hamadryade » (nymphe des arbres); 4. *Lycère* et *Cloé :* noms de nymphes imaginaires; 5. *L'Ondée :* déesse des Eaux (les ondes) inventée par Hugo; 6. Les sorbiers que ses baisers avaient décolorés.

━━━ QUESTIONS ━━━

● VERS 1-25. Quelle est la raison de l'emploi de l'article défini aux vers 2 et 4? Qu'a de plaisant le vers 5? — Le satyre est condamné sans avoir jamais été vu : quelle idée veut nous suggérer par là le poète? — Montrez que, dans les vers 16 à 21, la symphonie de tous les sons vocaliques rassemblés accentue et accompagne la diversité des faunes.

55 Et de telles amours, que, témoin du désordre,
   Le chardon, ce jaloux, s'efforçait de le mordre;
   Il s'était si crûment dans les excès plongé
   Qu'il était dénoncé par la caille et le geai;
   Son bras, toujours tendu vers quelque blonde tresse,
60 Traversait l'ombre*; après les mois de sécheresse,
   Les rivières, qui n'ont qu'un voile de vapeur,
   Allant remplir leur urne à la pluie, avaient peur
   De rencontrer sa face effrontée et cornue;
   Un jour, se croyant seule et s'étant mise nue
65 Pour se baigner au flot d'un ruisseau clair, Psyché
   L'aperçut tout à coup dans les feuilles caché,
   Et s'enfuit, et s'alla plaindre dans l'empyrée[1];
   Il avait l'innocence impudique de Rhée[2];
   Son caprice, à la fois divin et bestial,
70 Montait jusqu'au rocher sacré* de l'idéal,
   Car partout où l'oiseau[3] vole, la chèvre y grimpe;
   Ce faune débraillait[4] la forêt de l'Olympe;
   Et, de plus, il était voleur, l'aventurier.

   Hercule l'alla prendre au fond de son terrier,
75 Et l'amena devant Jupiter par l'oreille.

                        I

                    LE BLEU

Quand le satyre fut sur la cime vermeille*,
Quand il vit l'escalier céleste[5] commençant,
On eût dit qu'il tremblait, tant c'était ravissant!
Et que, rictus ouvert au vent, tête éblouie*

---

1. Auprès des dieux qui séjournaient dans le ciel; 2. *Rhée :* déesse primitive de la Terre. Pour Hugo, devient synonyme de « nature primitive »; 3. *Oiseau* correspond à *divin*, chèvre à *bestial*; 4. *Débrailler* ne s'emploie d'ordinaire qu'à la forme pronominale; 5. *Céleste :* qui conduit vers le ciel.

───── QUESTIONS ─────

● Vers 26-75. Comment Hugo exprime-t-il le caractère double du satyre? Quel est le sens de l'opposition ainsi définie? — Comment le poète prête-t-il, dans ce passage, des qualités morales aux choses d'après leur aspect extérieur? — Par quels procédés a-t-il rendu vivant et personnel un thème qui aurait pu être académique? Reste-t-il des traces de néo-classicisme? — Le mélange du ton familier et du mythe : analysez l'effet qui en résulte.

80 A la fois par les yeux, l'odorat et l'ouïe,
Faune ayant de la terre encore à ses sabots,
Il frissonnait devant les cieux sereins et beaux ;
Quoique à peine fût-il au seuil de la caverne
De rayons et d'éclairs que Jupiter gouverne,
85 Il contemplait l'azur, des pléiades voisin ;
Béant, il regardait passer, comme un essaim
De molles nudités sans fin continuées,
Toutes ces déités que nous nommons nuées.
C'était l'heure où sortaient les chevaux du soleil ;
90 Le ciel, tout frémissant du glorieux réveil,
Ouvrait les deux battants de sa porte sonore ;
Blancs, ils apparaissaient formidables* d'aurore ;
Derrière eux, comme un orbe effrayant, couvert d'yeux,
Éclatait la rondeur du grand char radieux ;
95 On distinguait le bras du dieu qui les dirige ;
Aquilon¹ achevait d'atteler le quadrige ;
Les quatre ardents² chevaux dressaient leur poitrail d'or ;
Faisant leurs premiers pas, ils se cabraient encor
Entre la zone obscure et la zone enflammée ;
100 De leurs crins, d'où semblait sortir une fumée
De perles, de saphirs, d'onyx, de diamants,
Dispersée et fuyante au fond des éléments,
Les trois premiers, l'œil fier, la narine embrasée,
Secouaient dans le jour des gouttes de rosée ;
105 Le dernier secouait des astres dans la nuit.

Ce ciel, le jour qui monte et qui s'épanouit,
La terre qui s'efface et l'ombre* qui se dore,
Ces hauteurs, ces splendeurs*, ces chevaux de l'aurore
Dont le hennissement provoque³ l'infini*,
110 Tout cet ensemble auguste, heureux, calme, béni,

---

1. Invention de Hugo : dans la mythologie, ce sont les Heures qui dirigent le char du Soleil ; 2. *Ardent* : à la fois brillant comme la flamme et plein d'ardeur ; 3. *Provoquer* : lancer un défi à.

——————— **QUESTIONS** ———————

● Vers 76-105. Comment se traduit l'effort de Victor Hugo pour rendre la mythologie plus voisine des spectacles de la nature ? — Quel est l'effet produit par le jeu des voyelles et des syllabes accentuées dans les vers 87-88 ? Comment est amenée l'image du vers 105 ? Quelle est sa valeur ? Le procédé est-il fréquent chez Hugo ? — Comparez ce fragment avec « le Réveil d'Hélios » de Leconte de Lisle (*Poèmes antiques*).

Puissant, pur, rayonnait; un coin était farouche*;
Là brillaient, près de l'antre où Gorgone¹ se couche,
Les armes de chacun des grands dieux que l'autan²
Gardait, sévère, assis sur des os de titan;
115 Là reposait la Force avec la Violence³;
On voyait, chauds encor, fumer les fers de lance;
On voyait des lambeaux de chair aux coutelas
De Bellone⁴, de Mars, d'Hécate⁵ et de Pallas,
Des cheveux au trident⁶ et du sang à la foudre.

120 Si le grain pouvait voir la meule prête à moudre,
Si la ronce du bouc apercevait la dent,
Ils auraient l'air pensif du sylvain, regardant
Les armures des dieux dans le bleu vestiaire;
Il entra dans le ciel; car le grand bestiaire⁷
125 Tenait sa large oreille et ne le lâchait pas;
Le bon faune crevait l'azur à chaque pas;
Il boitait, tout gêné de sa fange première;
Son pied fourchu faisait des trous dans la lumière*,
La monstruosité brutale du sylvain
130 Étant lourde et hideuse au nuage divin.
Il avançait, ayant devant lui le grand voile⁸
Sous lequel le matin glisse sa fraîche étoile;
Soudain il se courba sous un flot de clarté,
Et, le rideau s'étant tout à coup écarté,
135 Dans leur immense joie il vit les dieux terribles*.

[Vers 136-208. Victor Hugo évoque l'assemblée des *grands dieux*. Au premier rang se trouve Vénus, vers qui convergent tous les regards; au dernier, Jupiter, méditant des châtiments pour les coupables.]

Hercule, de ce poing qui peut fendre l'Ossa⁹,
210 Lâchant subitement le captif, le poussa

---

1. Dans la mythologie classique, il y avait trois *gorgones* (Méduse, Euryale, Sthéno); elles avaient le pouvoir de changer en pierre tous ceux qui les regardaient; 2. *Autan* : vent du sud-est, chaud et sec, qui souffle sur l'Aquitaine (voir, vers 96, le rôle de l'Aquilon); 3. Divinités allégoriques qui enchaînent Prométhée dans la tragédie d'Eschyle; 4. Déesse de la Guerre; 5. Divinité infernale, déesse des Terreurs nocturnes; 6. L'arme de Neptune; 7. Hercule, dompteur de bêtes féroces; 8. La nuit; 9. *L'Ossa* : montagne que jadis Hercule, d'un coup de poing, avait séparée du mont Olympe.

━━━━━━ **QUESTIONS** ━━━━━━

● Vers 106-135. Montrez que Victor Hugo a tendance à nous présenter le satyre sous un jour plus sympathique que les dieux.

Sur le grand pavé bleu de la céleste zone :
— Va, dit-il. Et l'on vit apparaître le faune,
Hérissé, noir, hideux, et cependant serein,
Pareil au bouc velu qu'à Smyrne le marin,
215 En souvenir des prés, peint sur les blanches voiles;
L'éclat de rire fou monta jusqu'aux étoiles,
Si joyeux, qu'un géant enchaîné sous le mont[1]
Leva la tête et dit : — « Quel crime font-ils donc? »
Jupiter, le premier, rit; l'orageux Neptune
220 Se dérida, changeant la mer et la fortune[2];
Une Heure qui passait avec son sablier
S'arrêta, laissant l'homme et la terre oublier;
La gaîté fut, devant ces narines[3] camuses,
Si forte, qu'elle osa même aller jusqu'aux Muses;
225 Vénus tourna son front, dont l'aube se voila,
Et dit : « Qu'est-ce que c'est que cette bête-là? »
Et Diane chercha sur son dos une flèche;
L'urne du Potamos[4] étonné resta sèche;
La colombe[5] ferma ses doux yeux, et le paon[6]
230 De sa roue arrogante insulta l'ægipan;
Les déesses riaient toutes comme des femmes;
Le faune, haletant parmi ces grandes dames,
Cornu, boiteux, difforme, alla droit à Vénus;
L'homme-chèvre ébloui* regarda ses pieds nus;
235 Alors on se pâma; Mars embrassa Minerve,
Mercure prit la taille à Bellone avec verve,
La meute de Diane aboya sur l'Œta[7];
Le tonnerre n'y put tenir, il éclata;
Les immortels penchés parlaient aux immortelles;
240 Vulcain dansait; Pluton disait des choses telles
Que Momus[8] en était presque déconcerté;
Pour que la reine pût se tordre en liberté,
Hébé[9] cachait Junon derrière son épaule;
Et l'Hiver[10] se tenait les côtes sur le pôle.
245 Ainsi les dieux riaient du pauvre paysan.

---

1. Contamination du thème des géants, ensevelis sous les montagnes après leur tentative d'escalader l'Olympe, et du thème de Prométhée, enchaîné sur le Caucase; 2. *La fortune* : le sort des marins; 3. *Narines* : nez (métonymie); 4. *Potamos* : divinité allégorique imaginée par le poète d'après le nom grec du fleuve; 5. *La colombe* : oiseau de Vénus; 6. *Le paon* : oiseau de Junon; 7. *L'Œta* : montagne de Thessalie, où Hercule monta sur le bûcher; 8. *Momus* : dieu de la Raillerie et de la Plaisanterie, qui fut chassé de l'Olympe; 9. *Hébé* : déesse de la Jeunesse; 10. Traditionnellement, l'Hiver est représenté comme un vieillard couvert de glaçons et toujours endormi.

Et lui, disait tout bas à Vénus : — « Viens-nous-en. »

Nulle voix ne peut rendre et nulle langue écrire
Le bruit divin que fit la tempête du rire.
Hercule dit : — « Voilà le drôle en question.
250 — Faune, dit Jupiter, le grand amphictyon[1],
Tu mériterais bien qu'on te changeât en marbre,
En flot, ou qu'on te mît au cachot dans un arbre :
Pourtant je te fais grâce, ayant ri. Je te rends
A ton antre, à ton lac, à tes bois murmurants;
255 Mais, pour continuer[2] le rire qui te sauve,
Gueux, tu vas nous chanter ton chant de bête fauve*,
L'Olympe écoute. Allons, chante. »

                            Le chèvre-pieds
Dit : — « Mes pauvres pipeaux sont tout estropiés;
Hercule ne prend pas bien garde lorsqu'il entre;
260 Il a marché dessus en traversant mon antre.
Or, chanter sans pipeaux, c'est fort contrariant. »

Mercure lui prêta sa flûte en souriant.

L'humble ægipan, figure à l'ombre* habituée,
Alla s'asseoir rêveur derrière une nuée,
265 Comme si, moins voisin des rois, il était mieux,
Et se mit à chanter un chant mystérieux.
L'aigle, qui, seul, n'avait pas ri, dressa la tête.

Il chanta, calme et triste*.

                       Alors sur le Taygète,
Sur le Mysis[3], au pied de l'Olympe divin,
270 Partout on vit, au fond du bois et du ravin,
Les bêtes qui passaient leur tête entre les branches,

---

1. *Amphictyon* : juge sacré; sens élargi par Hugo, puisque les amphictyons
sont, à proprement parler, les juges qui, dans la Grèce antique, siégeaient à Delphes
pour sanctionner les sacrilèges; 2. *Continuer* : faire continuer; 3. *Le Taygète* et
le Mysis : montagnes du Péloponnèse, donc fort éloignées de l'Olympe.

— QUESTIONS —

● Vers 209-246. Relevez les détails qui présentent une critique des
dieux. Comment concevez-vous que, malgré cela, le satyre soit attiré
par Vénus? Le développement est-il parfaitement cohérent? — Relevez des tours familiers ou vulgaires : quel est l'effet produit? — Quel
symbole attaché au satyre apparaît au vers 245?

La biche à l'œil profond* se dressa sur ses hanches,
Et les loups firent signe aux tigres d'écouter;
On vit, selon le rythme étrange, s'agiter
275 Le haut des arbres, cèdre, ormeau, pins qui murmurent,
Et les sinistres* fronts des grands chênes s'émurent.

Le faune énigmatique, aux Grâces odieux,
Ne semblait plus savoir qu'il était chez les dieux.

II

LE NOIR

Le satyre chanta la terre monstrueuse.

280 L'eau, perfide sur mer, dans les champs tortueuse[1],
Sembla dans son prélude errer comme à travers
Les sables, les graviers, l'herbe et les roseaux verts;
Puis il dit l'Océan, typhon[2] couvert de baves,
Puis la Terre lugubre avec toutes ses caves,
285 Son dessous effrayant, ses trous, ses entonnoirs,
Où l'ombre* se fait onde, où vont les fleuves noirs*,
Où le volcan, noyé sous d'affreux* lacs, regrette
La montagne, son casque, et le feu, son aigrette,
Où l'on distingue, au fond des gouffres inouïs*,
290 Les vieux enfers éteints des dieux évanouis.
Il dit la sève; il dit la vaste plénitude

---

1. *Tortueuse* est employé à la fois au sens propre et au sens figuré; **2.** *Typhon* : ici, « énorme ouragan ».

■ QUESTIONS ■

● VERS 247-278. Comment expliquez-vous que le rire soit si rare sur l'Olympe, qui nous avait pourtant été présenté comme le domaine de *l'immense joie* au vers 135? Pourquoi Mercure sourit-il (vers 262), alors que l'aigle refuse au contraire de succomber au rire comme les dieux? — Comment Jupiter s'adresse-t-il au satyre? — Montrez que l'effet produit sur terre par le chant du satyre est l'inverse de celui qui est produit par l'action des dieux : que veut suggérer le poète? — Pourquoi prête-t-il au satyre les actes traditionnellement attribués à Orphée?

■ SUR « LE BLEU ». — Comment peut-on justifier ce titre?
— Quel est l'effet produit par le mélange des tons? Le style comique et le style épique sont-ils conciliables, sans que l'on tombe dans le burlesque?
— Pourquoi Hugo mêle-t-il à des détails mythologiques authentiques des détails transformés ou inventés par lui?

De la nuit, du silence et de la solitude,
Le froncement pensif du sourcil des rochers ;
Sorte de mer ayant les oiseaux pour nochers,
295 Pour algue le buisson, la mousse pour éponge,
La végétation aux mille têtes songe ;
Les arbres pleins de vent ne sont pas oublieux ;
Dans la vallée, au bord des lacs, sur les hauts lieux,
Ils gardent la figure antique de la terre ;
300 Le chêne est entre tous profond*, fidèle, austère ;
Il protège et défend le coin du bois ami
Où le gland l'engendra s'entr'ouvrant à demi,
Où son ombrage attire et fait rêver le pâtre.
Pour arracher de là ce vieil opiniâtre,
305 Que d'efforts, que de peine au rude bûcheron !
Le sylvain raconta Dodone[1] et Cithéron[2],
Et tout ce qu'aux bas-fonds d'Hémus[3], sur l'Érymanthe[4],
Sur l'Hymète[5], l'autan tumultueux tourmente ;
Avril avec Tellus[6] pris en flagrant délit,
310 Les fleuves recevant les sources dans leur lit,
La grenade montrant sa chair sous sa tunique,
Le rut religieux du grand cèdre cynique,
Et, dans l'âcre épaisseur des branchages flottants,
La palpitation sauvage du printemps.

315 « Tout l'abîme* est sous l'arbre énorme comme une urne.
La terre sous la plante ouvre son puits nocturne
Plein de feuilles, de fleurs et de l'amas mouvant
Des rameaux que, plus tard, soulèvera le vent,
Et dit : — Vivez ! Prenez. C'est à vous. Prends, brin d'herbe !
320 Prends, sapin ! — La forêt surgit ; l'arbre superbe*
Fouille le globe avec une hydre* sous ses pieds ;
La racine effrayante aux longs cous repliés,

---

1. *Dodone* : voir « La vision d'où est sorti ce livre », vers 57, tome premier, page 39 ; 2. *Le Cithéron* : montagne de Béotie. Œdipe y fut exposé ; 3. *L'Hémus* : chaîne de montagnes des Balkans ; Orphée y fut déchiré par les Bacchantes ; 4. *L'Érymanthe* : montagne du Péloponnèse, où Hercule vainquit le sanglier envoyé par Junon ; 5. *L'Hymète* (ou, mieux, *Hymette*) : montagne de l'Attique ; 6. *Tellus* : la Terre. Les amours d'Avril et de Tellus : les giboulées de printemps.

--- QUESTIONS ---

● Vers 279-314. Qu'ont de menaçant pour les dieux les vers 289-290 ?
Est-ce la première fois que le satyre cherche à les inquiéter ? — Quel
est l'effet produit par le jeu des voyelles longues et des accents au
vers 286 ? — Que veut suggérer Hugo par cette omniprésence de l'eau ?
Comment expliquer aux vers 306-308 le choix des montagnes ?

Aux mille becs béants dans la profondeur* noire*,
Descend, plonge, atteint l'ombre* et tâche de la boire,
325 Et, bue, au gré de l'air, du lieu, de la saison,
L'offre au ciel en encens ou la crache en poison,
Selon que la racine, embaumée ou malsaine,
Sort, parfum, de l'amour, ou, venin, de la haine.
De là, pour les héros, les grâces et les dieux,
330 L'œillet, le laurier-rose ou le lys radieux,
Et, pour l'homme qui pense et qui voit, la ciguë.

« Mais qu'importe à la terre! Au chaos contiguë,
Elle fait son travail d'accouchement sans fin.
Elle a pour nourrisson l'universelle faim.
335 C'est vers son sein qu'en bas les racines s'allongent.
Les arbres sont autant de mâchoires qui rongent
Les éléments, épars dans l'air souple et vivant;
Ils dévorent la pluie, ils dévorent le vent;
Tout leur est bon, la nuit, la mort; la pourriture
340 Voit la rose et lui va porter sa nourriture;
L'herbe vorace broute au fond des bois touffus;
A toute heure, on entend le craquement confus
Des choses sous la dent des plantes; on voit paître
Au loin, de toutes parts, l'immensité champêtre;
345 L'arbre transforme tout dans son puissant progrès[1];
Il faut du sable, il faut de l'argile et du grès;
Il en faut au lentisque, il en faut à l'yeuse,
Il en faut à la ronce, et la terre joyeuse
Regarde la forêt formidable* manger. »

350 Le satyre semblait dans l'abîme* songer;
Il peignit l'arbre vu du côté des racines,
Le combat souterrain des plantes assassines[2],
L'antre que le feu voit, qu'ignore le rayon,
Le revers ténébreux* de la création,
355 Comment filtre la source et flambe le cratère;
Il avait l'air de suivre un esprit[3] sous la terre,
Il semblait épeler un magique alphabet;
On eût dit que sa chaîne invisible tombait;

---

1. *Son progrès* : sa croissance; 2. *Les plantes assassines* : qui se combattent en se disputant le sol, ou, plutôt, qui dévorent les éléments naturels vivants; 3. *Un esprit* : l'âme éparse dans la matière. Voir vers 423-425.

Il brillait; on voyait s'échapper de sa bouche
360 Son rêve avec un bruit d'ailes vague et farouche* :

« Les forêts sont le lieu lugubre; la terreur,
Noire*, y résiste même au matin, ce doreur;
Les arbres tiennent l'ombre* enchaînée à leurs tiges;
Derrière le réseau ténébreux* des vertiges*[1],
365 L'aube est pâle, et l'on voit se tordre les serpents
Des branches sur l'aurore horribles* et rampants;
Là, tout tremble; au-dessus de la ronce hagarde*,
Le mont, ce grand témoin, se soulève et regarde;
La nuit, les hauts sommets, noyés dans la vapeur,
370 Les antres noirs*, ouvrant la bouche avec stupeur*,
Les blocs, ces durs profils, les rochers, ces visages
Avec qui l'ombre* voit dialoguer les sages,
Guettent le grand secret, muets, le cou tendu;
L'œil des montagnes s'ouvre et contemple, éperdu;
375 On voit s'aventurer dans les profondeurs* fauves*
La curiosité de ces noirs* géants chauves;
Ils scrutent le vrai ciel, de l'Olympe inconnu;
Ils tâchent de saisir quelque chose de nu;
Ils sondent l'étendue auguste, chaste, austère,
380 Irritée, et parfois, surprenant le mystère,
Aperçoivent la Cause au pur rayonnement,
Et l'Énigme sacrée*, au loin, sans vêtement,
Montrant sa forme blanche au fond de l'insondable*.
O nature terrible*! ô lien formidable*
385 Du bois qui pousse avec l'idéal contemplé!
Bain de la déité dans le gouffre* étoilé!
Farouche* nudité de la Diane sombre[2]*

---

1. *Le réseau ténébreux des vertiges.* Certains interprètent : « réseau des branches situées à une hauteur vertigineuse »; peut-être Hugo suggère-t-il plutôt le tournoiement des feuilles et l'agitation des branches au-dessus de l'abîme; **2.** Reprise de la légende d'Actéon, qui, pour avoir surpris Diane au bain, vit son front se recouvrir de ramures et se transforma en cerf.

─────── **QUESTIONS** ───────

● VERS 315-390. Quel est le sens de cette universelle faim des forêts? Comment expliquer cette présence du mal au sein de la terre, et l'indifférence de la terre au bien et au mal? Le système de Hugo est-il cohérent? — La personnification des monts et des rochers n'avait-elle pas été amorcée auparavant? dans quels vers? — Montrez, par la comparaison développée aux vers 387-390, que la nature est à la fois une victime des dieux et une révoltée contre les dieux. — Comment se manifeste, dans ce passage, le tempérament visionnaire de Hugo?

Qui, de loin regardée et vue à travers l'ombre*,
Fait croître au front des rocs les arbres monstrueux!
390 O forêt! »

       Le sylvain avait fermé les yeux;
La flûte que, parmi des mouvements de fièvre,
Il prenait et quittait, importunait sa lèvre;
Le faune la jeta sur le sacré* sommet;
Sa paupière était close, on eût dit qu'il dormait,
395 Mais ses cils roux laissaient passer de la lumière*.

Il poursuivit :

       « Salut! Chaos! gloire à la Terre!
Le chaos est un dieu; son geste est l'élément;
Et lui seul a ce nom sacré* : Commencement.
C'est lui qui, bien avant la naissance de l'heure,
400 Surprit l'aube endormie au fond de sa demeure,
Avant le premier jour et le premier moment;
C'est lui qui, formidable*, appuya doucement
La gueule de la Nuit aux lèvres de l'Aurore,
Et c'est de ce baiser qu'on vit l'étoile éclore.
405 Le chaos est l'époux lascif de l'infini*.
Avant le Verbe[1], il a rugi, sifflé, henni;
Les animaux, aînés de tout, sont les ébauches
De sa fécondité[2] comme de ses débauches.
Fussiez-vous dieux, songez en voyant l'animal!
410 Car il n'est pas le jour, mais il n'est pas le mal.
Toute la force obscure et vague de la terre
Est dans la brute, larve auguste et solitaire;
La sibylle au front gris le sait, et les devins
Le savent, ces rôdeurs des sauvages ravins;
415 Et c'est là ce qui fait que la thessalienne[3]
Prend des touffes de poils aux cuisses de l'hyène,
Et qu'Orphée écoutait, hagard*, presque jaloux,
Le chant sombre* qui sort du hurlement des loups. »
    — « Marsyas[4]! » murmura Vulcain, l'envieux louche.
420 Apollon attentif mit le doigt sur sa bouche.

---

1. Avant le moment où Dieu a créé le monde en l'appelant hors du Chaos; **2.** Résultant de sa fécondité; **3.** *La thessalienne* : la magicienne de Thessalie; **4.** *Marsyas* : satyre qui avait osé rivaliser avec Apollon dans l'art du chant; Apollon l'avait écorché vif.

Le faune ouvrit les yeux, et peut-être entendit;
Calme, il prit son genou dans ses deux mains, et dit :

« Et maintenant, ô dieux! écoutez ce mot : L'âme!
Sous l'arbre qui bruit, près du monstre qui brame,
425 Quelqu'un parle. C'est l'Ame. Elle sort du chaos.
Sans elle, pas de vents, le miasme; pas de flots,
L'étang; l'âme, en sortant du chaos, le dissipe;
Car il n'est que l'ébauche et l'âme est le principe.
L'Être est d'abord moitié brute et moitié forêt;
430 Mais l'Air veut devenir l'Esprit, l'homme apparaît.
L'homme? qu'est-ce que c'est que ce sphinx! Il commence
En sagesse, ô mystère! et finit en démence.
O ciel qu'il a quitté, rends-lui son âge d'or! »

Le faune, interrompant son orageux essor,
435 Ouvrit d'abord un doigt, puis deux, puis un troisième,
Comme quelqu'un qui compte en même temps qu'il sème,
Et cria, sur le haut Olympe vénéré :

« O dieux! l'arbre est sacré*, l'animal est sacré*,
L'homme est sacré*; respect à la terre profonde*!
440 La terre où l'homme crée, invente, bâtit, fonde,
Géant possible, encor caché dans l'embryon,
La terre où l'animal erre autour du rayon,
La terre où l'arbre ému prononce des oracles,
Dans l'obscur infini*, tout rempli de miracles,
445 Est le prodige, ô dieux! le plus proche de vous;
C'est le globe inconnu qui vous emporte tous,
Vous les éblouissants*, la grande bande altière,
Qui dans des coupes d'or buvez de la lumière*,
Vous qu'une aube précède et qu'une flamme suit,
450 Vous les dieux, à travers la formidable* nuit! »

La sueur ruisselait sur le front du satyre,
Comme l'eau du filet que des mers on retire;
Ses cheveux s'agitaient comme au vent libyen.

─────── QUESTIONS ───────

● Vers 390-422. Pourquoi le satyre jette-t-il sa flûte? Pourquoi ferme-t-il
les yeux (vers 391-395)? — Pourquoi divinise-t-il le Chaos? — Comparez la vie végétale et la vie animale dans cette vision. Pourquoi Orphée
était-il, selon Hugo, jaloux du hurlement des loups? — Comment inter-
prétez-vous les réactions de Vulcain et d'Apollon? Pourquoi sont-elles
différentes?

Phœbus lui dit : — « Veux-tu la lyre?

— Je veux bien »,
455 Dit le faune; et, tranquille, il prit la grande lyre.

Alors il se dressa debout dans le délire
Des rêves, des frissons, des aurores, des cieux,
Avec deux profondeurs* splendides* dans les yeux.

— « Il est beau! » murmura Vénus épouvantée.

460 Et Vulcain, s'approchant d'Hercule, dit : « Antée¹ ».
Hercule repoussa du coude ce boiteux.

III

LE SOMBRE

Il ne les voyait pas, quoiqu'il fût devant eux.

Il chanta l'Homme. Il dit cette aventure sombre*,
L'homme, le chiffre élu, tête auguste du nombre²,
465 Effacé par sa faute, et, désastreux reflux,
Retombé dans la nuit de ce qu'on ne voit plus;
Il dit les premiers temps, le bonheur, l'Atlantide³;
Comment le parfum pur devint miasme fétide,

---

1. *Antée* : géant, fils de la Terre, dont Hercule ne vint à bout qu'en le soule-vant en l'air, car il reprenait toute sa vigueur dès qu'il touchait le sol; 2. La nature est un *nombre* qu'il s'agit de déchiffrer, et l'homme est le premier chiffre; 3. *L'Atlan-tide* : vaste continent, qui, selon certaines traditions antiques, aurait été situé à l'ouest de l'Afrique et, ensuite, recouvert par l'Océan; certains y plaçaient le règne de l'âge d'or.

--------- QUESTIONS ---------

● VERS 423-461. Comparez avec le vers célèbre de « Ce que dit la bouche d'ombre » :
« Arbres, roseaux, rochers, tout vit! Tout est plein d'âmes! »
L'âme pénètre-t-elle également le minéral, le végétal, l'animal et l'homme? — Expliquez pourquoi l'homme est un *sphinx*, pourquoi *il commence en sagesse et finit en démence* (vers 431-432), en quoi il est un *géant possible* (vers 441). — Quel est le sens du geste du satyre aux vers 435-436? — Expliquez la seconde tentative de Vulcain. Pourquoi le faune prend-il maintenant la lyre?

■ SUR « LE NOIR ». — Justifiez le titre.
— Quelles sont les différentes étapes de la transformation du satyre?
— Cette cosmogonie vous paraît-elle claire? cohérente? convain-cante?
— Le vers 459 ne contient-il pas la définition implicite de la beauté selon Hugo? Ne s'applique-t-elle pas au « Noir »?

Comment l'hymne expira sous le clair firmament,
470 Comment la liberté devint joug, et comment
Le silence se fit sur la terre domptée;
Il ne prononça pas le nom de Prométhée,
Mais il avait dans l'œil l'éclair du feu volé;
Il dit l'humanité mise sous le scellé;
475 Il dit tous les forfaits et toutes les misères,
Depuis les rois peu bons jusqu'aux dieux peu sincères.
Tristes* hommes! ils ont vu le ciel se fermer.
En vain, pieux, ils ont commencé par s'aimer;
En vain, frères, ils ont tué la Haine infâme,
480 Le monstre à l'aile onglée, aux sept gueules de flamme;
Hélas! comme Cadmus[1], ils ont bravé le sort;
Ils ont semé les dents de la bête; il en sort
Des spectres tournoyant comme la feuille morte,
Qui combattent, l'épée à la main, et qu'emporte
485 L'évanouissement du vent mystérieux.
Ces spectres sont les rois; ces spectres sont les dieux.
Ils renaissent sans fin, ils reviennent sans cesse;
L'antique égalité devient sous eux bassesse;
Dracon[2] donne la main à Busiris[3]; la Mort
490 Se fait code, et se met aux ordres du plus fort,
Et le dernier soupir libre et divin s'exhale
Sous la difformité de la loi colossale;
L'homme se tait, ployé sous cet entassement;
Il se venge; il devient pervers; il vole, il ment;
495 L'âme inconnue et sombre* a des vices d'esclave;
Puisqu'on lui met un mont sur elle, elle en sort lave;
Elle brûle et ravage au lieu de féconder.
Et dans le chant du faune on entendait gronder
Tout l'essaim des fléaux furieux qui se lève.
500 Il dit la guerre; il dit la trompette et le glaive;

1. **Cadmus**, après avoir tué un dragon envoyé par Arès, en sema les dents dans un champ : une race d'hommes naquit, qui s'entretuèrent; 2. **Dracon** : législateur aux premiers temps d'Athènes; ses lois étaient si sévères qu'on les disait écrites avec le sang (lois « draconiennes »); 3. **Busiris** : roi d'Égypte qui immolait les étrangers sur l'autel de ses dieux.

━━━━ **QUESTIONS** ━━━━

● Vers 462-497. En combien d'étapes s'opère la déchéance de l'homme? — Pourquoi le satyre ne prononce-t-il pas le nom de Prométhée (vers 472)? — Pourquoi Hugo utilise-t-il des expressions atténuées au vers 476? — Quelle est l'allitération dominante aux vers 481-492, 494-495?

La mêlée en feu, l'homme égorgé sans remord[1],
La gloire, et dans la joie affreuse* de la mort
Les plis voluptueux des bannières flottantes;
L'aube naît; les soldats s'éveillent sous les tentes;
505 La nuit, même en plein jour, les suit, planant sur eux;
L'armée en marche ondule au fond des chemins creux;
La baliste en roulant s'enfonce dans les boues;
L'attelage fumant tire, et l'on pousse aux roues;
Cris des chefs, pas confus; les moyeux des charrois
510 Balafrent les talus des ravins trop étroits.
On se rencontre, ô choc hideux! les deux armées
Se heurtent, de la même épouvante enflammées,
Car la rage guerrière est un gouffre* d'effroi.
O vaste effarement! chaque bande a son roi.
515 Perce, épée! ô cognée, abats! massue, assomme!
Cheval, foule aux pieds l'homme, et l'homme, et l'homme
[et l'homme!
Hommes, tuez, traînez les chars, roulez les tours[2];
Maintenant, pourrissez, et voici les vautours!
Des guerres sans fin naît le glaive héréditaire[3];
520 L'homme fuit dans les trous, au fond des bois, sous terre;
Et, soulevant le bloc qui ferme son rocher,
Écoute s'il entend les rois là-haut marcher;
Il se hérisse; l'ombre* aux animaux le mêle;
Il déchoit; plus de femme, il n'a qu'une femelle;
525 Plus d'enfants, des petits; l'amour qui le séduit
Est fils de l'Indigence et de l'Air de la nuit;
Tous ses instincts sacrés* à la fange aboutissent;
Les rois, après l'avoir fait taire, l'abrutissent;
Si bien que le bâillon est maintenant un mors.
530 Et sans l'homme pourtant les horizons sont morts;
Qu'est la création sans cette initiale[4]?

---

1. *Remord* : au lieu de *remords*, licence orthographique pour la rime; procédé tout à fait conforme à la tradition classique; 2. *Tours* de bois utilisées au cours des sièges par les Anciens; 3. *Le glaive héréditaire* : symbole de la puissance du tyran; 4. C'est-à-dire que l'homme est la tête de l'Univers.

QUESTIONS

● VERS 498-529. Quel est le fatal engrenage analysé par Hugo? Quel reproche essentiel fait-il à la guerre? La nature et l'animal sont-ils vraiment complices de la guerre? — Le tableau que nous fait le poète de la guerre et de ses sinistres effets est-il seulement, dans son esprit, une reconstitution historique? Pourquoi Hugo garde-t-il des détails antiques?

Seul sur la terre il a la lueur faciale ;
Seul il parle ; et sans lui tout est décapité.
Et l'on vit poindre aux yeux du faune la clarté
535 De deux larmes coulant comme à travers la flamme.
Il montra tout le gouffre* acharné contre l'âme ;
Les ténèbres* croisant leurs funestes rameaux,
Et la forêt du sort et la meute des maux ;
Les hommes se cachant, les dieux suivant leurs pistes.
540 Et, pendant qu'il chantait toutes ces strophes tristes*,
Le grand souffle vivant, ce transfigurateur[1],
Lui mettait sous les pieds la céleste hauteur ;
En cercle autour de lui se taisaient les Borées[2] ;
Et, comme par un fil invisible tirées,
545 Les brutes, loups, renards, ours, lions chevelus,
Panthères, s'approchaient de lui de plus en plus ;
Quelques-unes étaient si près des dieux venues,
Pas à pas, qu'on voyait leurs gueules dans les nues.

Les dieux ne riaient plus ; tous ces victorieux,
550 Tous ces rois, commençaient à prendre au sérieux
Cette espèce d'esprit qui sortait d'une bête.

Il reprit :

          « Donc, les dieux et les rois sur le faîte,
L'homme en bas ; pour valets aux tyrans, les fléaux.
L'homme ébauché ne sort qu'à demi du chaos,
555 Et jusqu'à la ceinture il plonge dans la brute ;
Tout le trahit ; parfois, il renonce à la lutte.
Où donc est l'espérance ? Elle a lâchement fui.
Toutes les surdités[3] s'entendent contre lui ;
Le sol l'alourdit, l'air l'enfièvre, l'eau l'isole ;
560 Autour de lui la mer sinistre* se désole ;
Grâce au hideux complot de tous ces guets-apens,
Les flammes, les éclairs, sont contre lui serpents ;
Ainsi que le héros[4] l'aquilon le soufflette ;
La peste aide le glaive, et l'élément complète

---

1. *Transfigurateur* : néologisme inventé par Hugo ; 2. *Les Borées* : les vents ;
3. Tous les éléments qui restent sourds à sa voix ; 4. *Le héros* : désigne ici le tyran
(voir vers 519).

━━━━━ ● QUESTIONS ━━━━━

● VERS 530-551. Pourquoi le satyre manifeste-t-il une telle douleur ?
Quel rapport a-t-il avec l'homme ? avec la bête ?

565 Le despote, et la nuit s'ajoute au conquérant;
    Ainsi la Chose vient mordre aussi l'homme, et prend
    Assez d'âme pour être une force, complice
    De son impénétrable et nocturne supplice;
    Et la Matière, hélas! devient Fatalité.
570 Pourtant qu'on prenne garde à ce déshérité!
    Dans l'ombre*, une heure est là qui s'approche, et frissonne,
    Qui sera la terrible* et qui sera la bonne,
    Qui viendra te sauver, homme, car tu l'attends,
    Et changer la figure implacable du temps!
575 Qui connaît le destin? qui sonda le peut-être?
    Oui, l'heure énorme vient, qui fera tout renaître,
    Vaincra tout, changera le granit en aimant,
    Fera pencher l'épaule au morne escarpement[1],
    Et rendra l'impossible aux hommes praticable.
580 Avec ce qui l'opprime, avec ce qui l'accable,
    Le genre humain se va forger son point d'appui;
    Je regarde le gland qu'on appelle Aujourd'hui[2],
    J'y vois le chêne; un feu vit sous la cendre éteinte.
    Misérable homme, fait pour la révolte sainte,
585 Ramperas-tu toujours parce que tu rampas?
    Qui sait si quelque jour on ne te verra pas,
    Fier, suprême, atteler les forces de l'abîme*,
    Et, dérobant l'éclair à l'Inconnu sublime*,
    Lier ce char d'un autre à des chevaux à toi?
590 Oui, peut-être on verra l'homme devenir loi,
    Terrasser l'élément sous lui, saisir et tordre
    Cette anarchie au point d'en faire jaillir l'ordre,
    Le saint ordre de paix, d'amour et d'unité,
    Dompter tout ce qui l'a jadis persécuté,
595 Se construire à lui-même une étrange monture
    Avec toute la vie et toute la nature,
    Seller la croupe en feu des souffles de l'enfer,
    Et mettre un frein de flamme à la gueule du fer!
    On le verra, vannant la braise dans son crible,
600 Maître et palefrenier d'une bête terrible*,
    Criant à toute chose : Obéis, germe, nais!
    Ajustant sur le bronze et l'acier un harnais
    Fait de tous les secrets que l'étude procure,

---

1. Ces deux vers sont très obscurs. On peut comprendre : le progrès permettra aux hommes d'extraire le métal de la pierre, et de « faire plier » les montagnes, c'est-à-dire de les utiliser; **2.** *Aujourd'hui* : attribut de *que*.

Prenant aux mains du vent la grande bride obscure,
605 Passer dans la lueur ainsi que les démons,
Et traverser les bois, les fleuves et les monts,
Beau, tenant une torche aux astres allumée,
Sur une hydre* d'airain, de foudre et de fumée!
On l'entendra courir dans l'ombre* avec le bruit
610 De l'aurore enfonçant les portes de la nuit!
Qui sait si quelque jour, grandissant d'âge en âge,
Il ne jettera pas son dragon à la nage,
Et ne franchira pas les mers, la flamme au front!
Qui sait si, quelque jour, brisant l'antique affront
615 Il ne lui dira pas : Envole-toi, matière!
S'il ne franchira point la tonnante frontière;
S'il n'arrachera pas de son corps brusquement
La pesanteur, peau vile, immonde vêtement
Que la fange hideuse à la pensée inflige!
620 De sorte qu'on verra tout à coup, ô prodige,
Ce ver de terre ouvrir ses ailes dans les cieux.
Oh! lève-toi, sois grand, homme! va, factieux!
Homme, un orbite d'astre est un anneau de chaîne,
Mais cette chaîne-là, c'est la chaîne sereine,
625 C'est la chaîne d'azur, c'est la chaîne du ciel;
Celle-là, tu t'y dois rattacher, ô mortel,
Afin — car un esprit se meut comme une sphère —
De faire aussi ton cercle autour de la lumière*!
Entre dans le grand chœur! va, franchis ce degré,
630 Quitte le joug infâme et prends le joug sacré*!
Deviens l'Humanité, triple, homme, enfant et femme!
Transfigure-toi! va! sois de plus en plus l'âme!
Esclave, grain d'un roi, démon, larve d'un dieu,
Prends le rayon, saisis l'aube, usurpe le feu;
635 Torse ailé, front divin, monte au jour, monte au trône,
Et dans la sombre* nuit jette les pieds du faune! »

─────── ● QUESTIONS ───────────────

● Vers 552-636. A quoi pense Hugo aux vers 595-610, 611-613, 614-621? En quoi consistera la libération de l'homme? Peut-on dire qu'elle lui permettra d'être *de plus en plus l'âme* (vers 632). Cette libération aboutit à un nouveau *joug :* définissez sa nature. Le renversement qu'impose le poète aux deux termes *anarchie* et *ordre* est-il paradoxal? — Comparez avec « la Maison du berger » de Vigny *(les Destinées).*

■ Sur « le Sombre ». — Expliquez le titre : quelle différence fait Hugo entre le noir et le sombre? — En quoi le rapport qui unit le satyre et l'homme se trouve-t-il précisé dans cette partie?

IV

L'ÉTOILÉ

Le satyre un moment s'arrêta, respirant
Comme un homme levant son front hors d'un torrent ;
Un autre être semblait sous sa face apparaître :
640 Les dieux s'étaient tournés, inquiets, vers le maître,
Et, pensifs, regardaient Jupiter stupéfait.

Il reprit :
                    « Sous le poids hideux qui l'étouffait,
Le réel renaîtra, dompteur du mal immonde.
Dieux, vous ne savez pas ce que c'est que le monde ;
645 Dieux, vous avez vaincu, vous n'avez pas compris.
Vous avez au-dessus de vous d'autres esprits,
Qui, dans le feu, la nue, et l'onde et la bruine,
Songent en attendant votre immense ruine.
Mais qu'est-ce que cela me fait à moi qui suis
650 La prunelle effarée au fond des vastes nuits !
Dieux, il est d'autres sphinx que le vieux sphinx de Thèbe[1].
Sachez ceci, tyrans de l'homme et de l'Érèbe[2],
Dieux qui versez le sang, dieux dont on voit le fond,
Nous nous sommes tous faits bandits sur ce grand mont
655 Où la terre et le ciel semblent en équilibre,
Mais vous pour être rois et moi pour être libre.
Pendant que vous semez haine, fraude et trépas,
Et que vous enjambez tout le crime en trois pas,
Moi je songe. Je suis l'œil fixe des cavernes.
660 Je vais. Olympes bleus et ténébreux* Avernes[3],
Temples, charniers, forêts, cités, aigle, alcyon,
Sont devant mon regard la même vision ;
Les dieux, les fléaux, ceux d'à présent, ceux d'ensuite,
Traversent ma lueur et sont la même fuite[4].
665 Je suis témoin que tout disparaît. Quelqu'un est.
Mais celui-là, jamais l'homme ne le connaît.
L'humanité suppose, ébauche, essaie, approche ;
Elle façonne un marbre, elle taille une roche
Et fait une statue, et dit : Ce sera lui.
670 L'homme reste devant cette pierre ébloui* ;
Et tous les à peu près, quels qu'ils soient, ont des prêtres.

---

1. Sans *s* pour les besoins de la rime ; 2. *L'Érèbe* : les Enfers ; 3. *Avernes* : ici
« gouffres infernaux » ; 4. S'enfuient tous de la même façon devant mes yeux.

Soyez les Immortels, faites! broyez les êtres,
Achevez ce vain tas de vivants palpitants,
Régnez[1]; quand vous aurez, encore un peu de temps,
675 Ensanglanté le ciel que la lumière azure,
Quand vous aurez, vainqueurs, comblé votre mesure,
C'est bien, tout sera dit, vous serez remplacés
Par ce noir* dieu final que l'homme appelle Assez!
Car Delphe et Pise[2] sont comme des chars qui roulent,
680 Et les choses qu'on crut éternelles s'écroulent
Avant qu'on ait le temps de compter jusqu'à vingt. »

Tout en parlant ainsi, le satyre devint
Démesuré; plus grand d'abord que Polyphème[3],
Puis plus grand que Typhon qui hurle et qui blasphème,
685 Et qui heurte ses poings ainsi que des marteaux[4],
Puis plus grand que Titan[5], puis plus grand que l'Athos[6];
L'espace immense entra dans cette forme noire*;
Et, comme le marin voit croître un promontoire,
Les dieux dressés voyaient grandir l'être effrayant;
690 Sur son front blêmissait un étrange orient;
Sa chevelure était une forêt; des ondes,
Fleuves, lacs, ruisselaient de ses hanches profondes*;
Ses deux cornes semblaient le Caucase et l'Atlas;
Les foudres l'entouraient avec de sourds éclats;
695 Sur ses flancs palpitaient des prés et des campagnes,
Et ses difformités s'étaient faites montagnes;
Les animaux, qu'avaient attirés ses accords,
Daims et tigres, montaient tout le long de son corps;
Des avrils tout en fleurs verdoyaient sur ses membres;
700 Le pli de son aisselle abritait des décembres;
Et des peuples errants demandaient leur chemin,
Perdus au carrefour des cinq doigts de sa main;
Des aigles tournoyaient dans sa bouche béante;

---

1. Ces impératifs ont un sens concessif; 2. *Delphes*, où avaient lieu les jeux Pythiques, *Pise*, où avaient lieu les jeux Olympiques, sont ici le symbole de la religion antique; 3. *Polyphème* : le Cyclope de *l'Odyssée* ; 4. Hugo mêle ici deux mythes : l'un attribue la naissance des volcans à la colère de Typhée, géant enseveli par les dieux, l'autre au fracas des forges de Vulcain; 5. Les *Titans*, fils du Ciel et de la Terre, voulurent escalader l'Olympe : Zeus les foudroya; 6. *L'Athos* : montagne du nord de la Grèce.

QUESTIONS

● Vers 637-681. Le transitoire et l'éternel : relevez les deux séries d'images qui illustrent chacun de ces deux thèmes.

La lyre, devenue en le touchant géante,
705 Chantait, pleurait, grondait, tonnait, jetait des cris;
Les ouragans étaient dans les sept cordes pris
Comme des moucherons dans de lugubres toiles;
Sa poitrine terrible* était pleine d'étoiles.

Il cria :

« L'avenir, tel que les cieux le font,
710 C'est l'élargissement dans l'infini* sans fond,
C'est l'esprit pénétrant de toutes parts la chose!
On mutile l'effet en limitant la cause;
Monde, tout le mal vient de la forme des dieux.
On fait du ténébreux* avec le radieux;
715 Pourquoi mettre au-dessus de l'Être, des fantômes?
Les clartés, les éthers, ne sont pas des royaumes.
Place au fourmillement éternel des cieux noirs*,
Des cieux bleus, des midis, des aurores, des soirs!
Place à l'atome saint[1], qui brûle ou qui ruisselle!
720 Place au rayonnement de l'âme universelle!
Un roi c'est de la guerre, un dieu c'est de la nuit.
Liberté, vie et foi, sur le dogme détruit!
Partout une lumière* et partout un génie!
Amour! tout s'entendra, tout étant l'harmonie!
725 L'azur du ciel sera l'apaisement des loups.
Place à Tout! Je suis Pan[2]; Jupiter! à genoux. »

1. *L'atome saint* : l'élément primitif, donc pur, de la matière à l'état originel;
2. *Pan* : dans l'Antiquité, simple dieu champêtre; par analogie avec le mot grec *pan*, qui signifie « tout », il est assimilé avec le Grand Tout.

QUESTIONS

● Vers 682-726. Qu'exprime le rejet du vers 683? Quelle association d'idées permet, au vers 686, le passage du *Titan* à l'*Athos*? Montrez le sens symbolique du vers 690. Quels sont les *fantômes* du vers 715?

■ Sur « l'Étoilé ». — Pourquoi Hugo assimile-t-il les dieux et les rois? Relevez divers traits qui mettent en valeur cette confusion.

— Pourquoi la lyre devient-elle, elle aussi, géante? Le poème subit-il un agrandissement analogue? Comment Hugo, qui utilisait déjà dans les parties précédentes des termes d'une puissance démesurée, est-il parvenu à accroître leur pouvoir de suggestion?

■ Sur l'ensemble du « Satyre ». — Ce poème est-il burlesque, prophétique, mythologique, cosmogonique, satirique ou épique?

— Montrez que le *progrès*, tel que l'envisage Hugo dans ce poème, n'est autre qu'une *renaissance*. Cela n'explique-t-il pas la rubrique sous laquelle il l'a placé?

— Les dieux nous sont-ils présentés, tout au long du morceau, comme des êtres vivants ou comme des fantoches?

— Le satyre est-il plus qu'un porte-parole?

Elle est l'infante, elle a cinq ans, elle dédaigne.

(« La Rose de l'infante », vers 46.)

Portrait de l'infante Marguerite-Thérèse, par Vélasquez.

C'est lui; l'homme en qui vit et tremble le royaume.

(« La Rose de l'infante », vers 81.)

Portrait de Philippe II d'Espagne, par Titien. Musée de Naples.

Phot. Yan.

On voit un grand palais comme au fond d'une gloire.

(« La Rose de l'infante », vers 9.)

Palais de l'Escurial.

ΗΡΜΗΣ

Phot. Anderson-Giraudon.

J'aimerai cette femme appelée Eurydice,
Toujours, partout!

(« Orphée », vers 13-14.)

Orphée et Eurydice. Stèle grecque. Musée de Naples.

XXVI. LA ROSE DE L'INFANTE

Rédaction : terminée le **3 mai 1859. Publication : 1859.**
Sources : *Relation du voyage d'Espagne* (1691), de Mme d'Aulnoy, lue en 1837, et *Tra los montes* (1843), de Théophile Gautier, pour la description d'Aranjuez. — *Théâtre du monde* (1644), de Davity, pour l'Armada, déjà évoquée dans la conclusion du *Rhin* (1842).

Le portrait gracieux d'une infante d'Espagne a permis à Victor Hugo d'évoquer, par contraste, le roi Philippe II (1527-1598), qui, depuis la fin du xviiie siècle, incarnait, aux yeux des révolutionnaires et des libéraux, le despotisme clérical, sinistre et cruel : indifférent au cadre charmant des jardins, leur préférant les sombres murailles de l'Escurial, ce souverain-fantôme rêve à la formidable expédition maritime qu'il vient de lancer contre l'Angleterre et se croit déjà vainqueur; mais le vent n'anéantit-il pas les ambitions des tyrans comme il effeuille les roses des princesses? L'événement avait beaucoup frappé le poète, qui le considérait comme un nœud de l'histoire : « Ce coup de vent qui souffla dans la nuit du 2 septembre 1588 a changé la forme du monde », avait-il écrit dans *le Rhin*. Un obstacle à la marche du progrès était levé. Ce tableau complète le poème précédent en s'opposant à lui : après l'ivresse et la lumière du xvie siècle, voici le pouvoir des ténèbres.

> Elle est toute petite, une duègne la garde.
> Elle tient à la main une rose, et regarde.
> Quoi? que regarde-t-elle[1]? Elle ne sait pas. L'eau,
> Un bassin qu'assombrit le pin et le bouleau;
> 5 Ce qu'elle a devant elle; un cygne aux ailes blanches,
> Le bercement des flots sous la chanson des branches,
> Et le profond jardin rayonnant et fleuri.
> Tout ce bel ange a l'air dans la neige pétri.
> On voit un grand palais comme au fond d'une gloire[2],
> 10 Un parc, de clairs viviers où les biches vont boire,
> Et des paons étoilés sous les bois chevelus.
> L'innocence est sur elle une blancheur de plus;
> Toutes ses grâces font comme un faisceau qui tremble.
> Autour de cette enfant l'herbe est splendide* et semble
> 15 Pleine de vrais rubis et de diamants fins;
> Un jet de saphirs sort des bouches des dauphins.
> Elle se tient au bord de l'eau; sa fleur l'occupe;

---

1. Hugo place l'Infante dans le décor des jardins d'Aranjuez, résidence des rois d'Espagne, au sud-est de Madrid (voir vers 142). Il n'y était jamais allé; 2. *Gloire :* fond de vive lumière sur lequel se détachent, dans certaines peintures, les figures surnaturelles; ici, le ciel avec les lueurs du couchant.

Sa basquine[1] est en point de Gênes[2]; sur sa jupe
Une arabesque, errant dans les plis du satin,
20 Suit les mille détours d'un fil d'or florentin.
La rose épanouie et toute grande ouverte,
Sortant du frais bouton comme d'une urne ouverte,
Charge la petitesse exquise de sa main;
Quand l'enfant, allongeant ses lèvres de carmin,
25 Fronce, en la respirant, sa riante narine,
La magnifique fleur, royale et purpurine,
Cache plus qu'à demi ce visage charmant,
Si bien que l'œil hésite, et qu'on ne sait comment
Distinguer de la fleur ce bel enfant qui joue
30 Et si l'on voit la rose ou si l'on voit la joue.
Ses yeux bleus sont plus beaux sous son pur sourcil brun.
En elle tout est joie, enchantement, parfum;
Quel doux regard, l'azur! et quel doux nom, Marie[3]!
Tout est rayon; son œil éclaire et son nom prie.
35 Pourtant, devant la vie et sous le firmament,
Pauvre être! elle se sent très grande vaguement;
Elle assiste au printemps, à la lumière, à l'ombre*,
Au grand soleil couchant horizontal et sombre*,
A la magnificence éclatante du soir,
40 Aux ruisseaux murmurants qu'on entend sans les voir,
Aux champs, à la nature éternelle et sereine,
Avec la gravité* d'une petite reine;
Elle n'a jamais vu l'homme que se courbant;
Un jour, elle sera duchesse de Brabant[4];
45 Elle gouvernera la Flandre ou la Sardaigne.
Elle est l'infante, elle a cinq ans, elle dédaigne.
Car les enfants des rois sont ainsi; leurs fronts blancs
Portent un cercle d'ombre*, et leurs pas chancelants
Sont des commencements de règne. Elle respire
50 Sa fleur en attendant qu'on lui cueille un empire.
Et son regard, déjà royal, dit : C'est à moi.
Il sort d'elle un amour mêlé d'un vague effroi.
Si quelqu'un, la voyant si tremblante et si frêle,
Fût-ce pour la sauver, mettait la main sur elle,

---

1. *Basquine* : basques du corsage, descendant sur la jupe ; 2. *Point de Gênes* : dentelle très fine; 3. *Marie*, fille de Philippe II (1580-1583), aurait eu huit ans en 1588. Or, Hugo lui en donne cinq (voir vers 46). Il a sans doute pensé à l'infante Marguerite-Marie-Thérèse, fille de Philippe IV, peinte par Vélasquez; 4. Le *Brabant* (région de Bruxelles), la *Flandre* et la *Sardaigne* appartenaient alors à l'Espagne.

55 Avant qu'il eût pu faire un pas ou dire un mot,
   Il aurait sur le front l'ombre* de l'échafaud[1].

   La douce enfant sourit, ne faisant autre chose
   Que de vivre et d'avoir dans la main une rose,
   Et d'être là devant le ciel, parmi les fleurs.

60 Le jour s'éteint; les nids chuchotent, querelleurs;
   Les pourpres du couchant sont dans les branches d'arbre;
   La rougeur monte au front des déesses de marbre
   Qui semblent palpiter sentant venir la nuit;
   Et tout ce qui planait redescend; plus de bruit,
65 Plus de flamme; le soir mystérieux recueille
   Le soleil sous la vague et l'oiseau sous la feuille.

   Pendant que l'enfant rit, cette fleur à la main,
   Dans le vaste palais catholique romain[2]
   Dont chaque ogive semble au soleil une mitre,
70 Quelqu'un de formidable* est derrière la vitre;
   On voit d'en bas une ombre*, au fond d'une vapeur,
   De fenêtre en fenêtre errer, et l'on a peur;
   Cette ombre* au même endroit, comme en un cimetière,
   Parfois est immobile une journée entière;
75 C'est un être effrayant qui semble ne rien voir;
   Il rôde d'une chambre à l'autre, pâle et noir*;
   Il colle aux vitraux blancs son front lugubre, et songe;
   Spectre blême! Son ombre aux feux du soir s'allonge;
   Son pas funèbre est lent, comme un glas de beffroi;
80 Et c'est la Mort, à moins que ce ne soit le Roi.

   C'est lui; l'homme en qui vit et tremble le royaume.
   Si quelqu'un pouvait voir dans l'œil de ce fantôme

---

1. La stricte étiquette de la cour d'Espagne (voir *Ruy Blas*, II, I et II) rendait « intouchables » reine et princesses; 2. Il existait un vieux palais gothique à côté du palais renaissant d'Aranjuez.

─────── **QUESTIONS** ───────

● VERS 1-56. Montrez que le tableau se précise peu à peu : peut-on comparer la technique de Hugo à celle d'un peintre? à celle de Vélasquez? Quelle est la hardiesse des expressions *riante narine* (vers 25), *son nom prie* (vers 34)? Relevez des alliances d'abstrait et de concret : quel est l'effet produit? — Cherchez des vers composés entièrement ou presque entièrement de monosyllabes : quel est l'effet produit? — Comment Hugo a-t-il réussi à unir l'innocence de l'infante et le caractère odieux de ce qu'elle représente?

Debout en ce moment l'épaule contre un mur,
Ce qu'on apercevrait dans cet abîme obscur,
85 Ce n'est pas l'humble enfant, le jardin, l'eau moirée
Reflétant le ciel d'or d'une claire soirée,
Les bosquets, les oiseaux se becquetant entre eux,
Non : au fond de cet œil comme l'onde vitreux,
Sous ce fatal* sourcil qui dérobe à la sonde
90 Cette prunelle autant que l'océan profonde*,
Ce qu'on distinguerait, c'est, mirage mouvant,
Tout un vol de vaisseaux en fuite dans le vent,
Et dans l'écume, au pli des vagues, sous l'étoile,
L'immense tremblement d'une flotte à la voile,
95 Et, là-bas, sous la brume, une île, un blanc rocher[1],
Écoutant sur les flots ces tonnerres marcher.
Telle est la vision qui, dans l'heure où nous sommes,
Emplit le froid cerveau de ce maître des hommes;
Et qui fait qu'il ne peut rien voir autour de lui.
100 L'armada, formidable* et flottant[2] point d'appui
Du levier dont il va soulever tout un monde,
Traverse en ce moment l'obscurité de l'onde;
Le roi dans son esprit la suit des yeux, vainqueur,
Et son tragique ennui n'a plus d'autre lueur.

105 Philippe Deux était une chose terrible*.
Iblis[3] dans le Koran et Caïn dans la Bible
Sont à peine aussi noirs* qu'en son Escurial[4]
Ce royal spectre, fils du spectre impérial.
Philippe Deux était le Mal tenant le glaive.
110 Il occupait le haut du monde comme un rêve[5].

---

1 *Un blanc rocher* : l'Angleterre, nommée « Albion » (la Blanche) à cause des falaises de la région de Douvres ; **2.** *Flottant* : jeu de mots; signifie à la fois « qui flotte sur la mer » et « instable, auquel on ne saurait se fier »; **3.** *Iblis* : souverain des démons pour les musulmans; **4.** *L'Escurial* : palais et monastère que fit construire Philippe II, au nord-ouest de Madrid, de 1562 à 1584; **5.** Comme une apparition de cauchemar.

--- **QUESTIONS** ---

● Vers 57-104. Pourquoi Hugo revient-il, après les sombres réflexions des vers 35 à 56, au tableau d'innocence dans toute sa pureté (vers 57-59)? — Comment se rapproche-t-on progressivement du roi? Quel est le procédé hardi utilisé par Hugo pour nous faire partager les visions de Philippe II? — L'effet produit par le jeu des voyelles longues dans les vers 70-80; quels sont les systèmes d'allitérations dans les mêmes vers? Quelle est la valeur expressive du rythme, des images et des allitérations dans les vers 91-96?

Il vivait : nul n'osait le regarder; l'effroi
Faisait une lumière* étrange autour du roi;
On tremblait rien qu'à voir passer ses majordomes;
Tant il se confondait, aux yeux troublés des hommes,
115 Avec l'abîme*, avec les astres du ciel bleu!
Tant semblait grande à tous son approche de Dieu!
Sa volonté fatale*, enfoncée, obstinée,
Était comme un crampon mis sur la destinée;
Il tenait l'Amérique et l'Inde[1], il s'appuyait
120 Sur l'Afrique, il régnait sur l'Europe, inquiet
Seulement du côté de la sombre* Angleterre;
Sa bouche était silence et son âme mystère;
Son trône était de piège et de fraude construit;
Il avait pour soutien la force de la nuit;
125 L'ombre était le cheval de sa statue équestre.
Toujours vêtu de noir*, ce Tout-Puissant terrestre
Avait l'air d'être en deuil de ce qu'il existait;
Il ressemblait au sphinx[2] qui digère et se tait;
Immuable; étant tout, il n'avait rien à dire.
130 Nul n'avait vu ce roi sourire; le sourire
N'étant pas plus possible à ces lèvres de fer
Que l'aurore à la grille obscure de l'enfer.
S'il secouait parfois sa torpeur de couleuvre,
C'était pour assister le bourreau dans son œuvre,
135 Et sa prunelle avait pour clarté le reflet
Des bûchers sur lesquels par moments il soufflait.
Il était redoutable à la pensée, à l'homme,
A la vie, au progrès, au droit, dévot à Rome;
C'était Satan régnant au nom de Jésus-Christ;
140 Les choses qui sortaient de son nocturne esprit
Semblaient un glissement sinistre* de vipères.
L'Escurial, Burgos[3], Aranjuez, ses repaires,
Jamais n'illuminaient leurs livides* plafonds*;
Pas de festins, jamais de cour, pas de bouffons;
145 Les trahisons pour jeu, l'autodafé[4] pour fête.
Les rois troublés avaient au-dessus de leur tête
Ses projets dans la nuit obscurément ouverts;

---

1. Les Indes occidentales, possessions des Espagnols en Amérique; 2. Hugo assimile le *Sphinx* grec de Thèbes, qui dévorait ses victimes, et le *Sphinx* égyptien, immobile; 3. *Burgos*, au nord de l'Espagne, n'était plus, au XVIe siècle, résidence royale; 4. *Autodafé* : supplice du feu infligé aux hérétiques par l'Inquisition espagnole.

Sa rêverie était un poids sur l'univers;
Il pouvait et voulait tout vaincre et tout dissoudre;
150 Sa prière faisait le bruit sourd d'une foudre;
De grands éclairs sortaient de ses songes profonds*.
Ceux auxquels il pensait disaient : Nous étouffons.
Et les peuples, d'un bout à l'autre de l'empire,
Tremblaient, sentant sur eux ces deux yeux fixes luire.

155 Charles[1] fut le vautour, Philippe est le hibou.

Morne* en son noir* pourpoint, la toison d'or[2] au cou,
On dirait du destin la froide sentinelle;
Son immobilité commande; sa prunelle
Luit comme un soupirail de caverne; son doigt
160 Semble, ébauchant un geste obscur que nul ne voit,
Donner un ordre à l'ombre* et vaguement l'écrire.
Chose inouïe*! il vient de grincer un sourire.
Un sourire insondable*, impénétrable, amer.
C'est que la vision de son armée en mer
165 Grandit de plus en plus dans sa sombre* pensée;
C'est qu'il la voit voguer par son dessein poussée,
Comme s'il était là, planant sous le zénith;
Tout est bien; l'océan docile s'aplanit,
L'armada lui fait peur comme au déluge l'arche;
170 La flotte se déploie en bon ordre de marche,
Et, les vaisseaux gardant les espaces fixés,
Échiquier de tillacs, de ponts, de mâts dressés[3],
Ondule sur les eaux comme une immense claie.
Ces vaisseaux sont sacrés*; les flots leur font la haie;
175 Les courants, pour aider ces nefs à débarquer,
Ont leur besogne à faire et n'y sauraient manquer;
Autour d'elles la vague avec amour déferle,
L'écueil se change en port, l'écume tombe en perle.

---

1. *Charles* : Charles Quint (1500-1558), père et prédécesseur de Philippe II,
prétendit à la monarchie universelle et multiplia les conquêtes; 2. *La toison d'or* :
collier d'or où pendait un bélier d'or; insigne d'un ordre de chevalerie en Espagne;
3. Les *ponts* et les *tillacs* forment comme un *échiquier* dont les *mâts* sont les pions.

――――――― **QUESTIONS** ―――――――

● VERS 105-155. Pourquoi Philippe II représente-t-il le Mal aux yeux
de Hugo? — Relevez les détails qui montrent que Philippe II est une
créature de la nuit. — N'existe-t-il pas une contradiction entre la personne irréelle du roi et sa puissance réelle? Que veut dire ici le poète?
— A quels serpents Hugo compare-t-il Philippe II? La comparaison
est-elle suivie et cohérente?

Voici chaque galère avec son gastadour[1];
180 Voilà ceux de l'Escaut, voilà ceux de l'Adour;
Les cent mestres de camp[2] et les deux connétables[3];
L'Allemagne a donné ses ourques[4] redoutables,
Naples ses brigantins[5], Cadix ses galions[6],
Lisbonne ses marins, car il faut des lions.
185 Et Philippe se penche, et, qu'importe l'espace!
Non seulement il voit, mais il entend. On passe,
On court, on va. Voici le cri des porte-voix,
Le pas des matelots courant sur les pavois[7],
Les moços[8], l'amiral appuyé sur son page,
190 Les tambours, les sifflets des maîtres d'équipage,
Les signaux pour la mer, l'appel pour les combats,
Le fracas sépulcral et noir* du branle-bas.
Sont-ce des cormorans? sont-ce des citadelles?
Les voiles font un vaste et sourd battement d'ailes;
195 L'eau gronde, et tout ce groupe énorme vogue, fuit,
Et s'enfle et roule avec un prodigieux bruit.
Et le lugubre roi sourit de voir groupées
Sur quatre cents vaisseaux quatrevingt mille épées.
O rictus du vampire assouvissant sa faim!
200 Cette pâle Angleterre, il la tient donc enfin!
Qui pourrait la sauver? Le feu va prendre aux poudres.
Philippe dans sa droite a la gerbe des foudres;
Qui pourrait délier ce faisceau dans son poing?
N'est-il pas le seigneur qu'on ne contredit point?
205 N'est-il pas l'héritier de César? le Philippe
Dont l'ombre* immense va du Gange au Pausilippe[9]?
Tout n'est-il pas fini quand il a dit : Je veux!
N'est-ce pas lui qui tient la victoire aux cheveux?
N'est-ce pas lui qui lance en avant cette flotte,
210 Ces vaisseaux effrayants dont il est le pilote
Et que la mer charrie ainsi qu'elle le doit?
Ne fait-il pas mouvoir avec son petit doigt
Tous ces dragons ailés et noirs*, essaim sans nombre?

---

1. *Gastadour :* mot calqué sur l'espagnol *gastador*, maître-valet d'un vaisseau;
2. *Mestres de camp :* officiers supérieurs (orthographe archaïque); 3. *Connétable :*
amiral; 4. *Ourque* ou *hourque :* petit bâtiment de charge, très solide; 5. *Brigantin :*
petit bâtiment de course; 6. *Galion :* bâtiment lourd et massif qui servait au transport des richesses venant d'Amérique; 7. *Pavois :* planchers étroits qui font le
tour extérieur du vaisseau; 8. *Moços :* mousses, en espagnol; 9. *Le Pausilippe :*
montagne près de Naples.

N'est-il pas, lui, le roi? n'est-il pas l'homme sombre*
215 A qui ce tourbillon de monstres obéit?

Quand Béit-Cifresil[1], fils d'Abdallah-Béit,
Eut creusé le grand puits de la mosquée, au Caire,
Il y grava : « Le ciel est à Dieu; j'ai la terre. »
Et, comme tout se tient, se mêle et se confond,
220 Tous les tyrans n'étant qu'un seul despote au fond,
Ce que dit ce sultan jadis, ce roi le pense.

Cependant, sur le bord du bassin, en silence,
L'infante tient toujours sa rose gravement*,
Et, doux ange aux yeux bleus, la baise par moment.
225 Soudain un souffle d'air, une de ces haleines
Que le soir frémissant jette à travers les plaines,
Tumultueux zéphyr, effleurant l'horizon,
Trouble l'eau, fait frémir les joncs, met un frisson
Dans les lointains massifs de myrte et d'asphodèle,
230 Vient jusqu'au bel enfant tranquille, et, d'un coup d'aile,
Rapide, et secouant même l'arbre voisin,
Effeuille brusquement la fleur dans le bassin.
Et l'infante n'a plus dans la main qu'une épine.
Elle se penche, et voit sur l'eau cette ruine;
235 Elle ne comprend pas; qu'est-ce donc? Elle a peur;
Et la voilà qui cherche au ciel avec stupeur*
Cette brise qui n'a pas craint de lui déplaire.
Que faire? le bassin semble plein de colère;
Lui, si clair tout à l'heure, il est noir* maintenant;
240 Il a des vagues; c'est une mer bouillonnant,
Toute la pauvre rose est éparse sur l'onde;
Ses cent feuilles, que noie et roule l'eau profonde*,

---

1. *Béit-Cifresil* : « envoyé d'Allah »; *Abdallah-Béit* : « serviteur d'Allah » en arabe; les personnages désignés par ces noms sont entièrement imaginés par Hugo.

── ● QUESTIONS ──────────────────────

● VERS 156-221. Le sourire du roi (vers 156-163) : relevez tous les termes qui lui donnent un caractère infernal. — Quels sont les procédés utilisés par Hugo pour suggérer la masse des vaisseaux et l'animation qui règne dans l'expédition? — Comment se traduit la confiance qu'éprouve Philippe II dans la complicité des éléments naturels? — En quoi le tableau devient-il de plus en plus surnaturel? Est-ce seulement un procédé d'amplification épique? — Quelle est la philosophie de l'histoire exprimée aux vers 216-221? Pourquoi Hugo peut-il assimiler le Roi Très Catholique aux sultans sacrilèges?

Tournoyant, naufrageant, s'en vont de tous côtés
Sur mille petits flots par la brise irrités;
245 On croit voir dans un gouffre* une flotte qui sombre.
— « Madame, dit la duègne avec sa face d'ombre*
A la petite fille étonnée et rêvant,
Tout sur terre appartient aux princes, hors le vent. »

XXXVI. LE GROUPE DES IDYLLES

I. LE GROUPE DES IDYLLES

Rédaction : la composition des vingt-trois pièces du « groupe des Idylles » s'échelonne de **mai 1860 à février 1877.** S'il ne fut pas écrit tout entier, comme on l'a prétendu, pour répondre aux vœux de certains amis du poète qui trouvaient l'ensemble de *la Légende des siècles* trop sombre, il a du moins été constitué dans ce dessein : c'est une note de fraîcheur qui n'étonne pas quand on sait que Hugo aime les contrastes et a toujours rêvé d' « unir Rabelais et Dante ». Le groupe intitulé « l'Amour », composé en 1873, fut inséré dans la série de 1883 pour la même raison. **Publication : 1877.** *Vue d'ensemble :* les plus nombreuses sont les idylles de caractère légèrement licencieux, très caractéristiques de la verte vieillesse de l'auteur (exemples : « Aristophane », « Voltaire », « Beaumarchais »); certaines sont des plaidoyers pour l'amour (exemples : « Asclépiade », « Moschus »); d'autres sont des pastiches, ou veulent l'être (« Salomon », « Théocrite », « Virgile »); d'autres enfin débordent le cadre de l'idylle et deviennent le prétexte de méditations ou d'épanchements lyriques (« Shakespeare », « l'Idylle du vieillard »).

─────── **QUESTIONS** ───────

● VERS 222-248. Cette comparaison avait-elle été annoncée dès le début du poème? Pourquoi l'explication symbolique de la mort de la rose ne vient-elle qu'au vers 245? — Une rose a-t-elle cent pétales? Pourquoi cette exagération? — Quel est l'usage que fait Hugo des rythmes du vers 225 au vers 233?

■ SUR L'ENSEMBLE DE « LA ROSE DE L'INFANTE ». — Comment ce poème est-il composé? Étudiez l'enchaînement des visions.

— Le contraste entre la délicate infante et le roi sinistre est-il gratuit? Comment peut-on justifier le double lieu : Aranjuez-l'Escurial?

— Comparez Philippe II et le roi du « Travail des captifs ».

— Comparez les portraits de l'Infante et de Philippe II, peints respectivement par Vélasquez et Titien (voir les illustrations pages 55 et 56), et ceux qu'a peints ici Victor Hugo.

I

ORPHÉE

Composée le 3 février 1877, cette idylle réunit certains traits empruntés à la traduction qu'avait donnée Leconte de Lisle, en 1869, des *Poèmes orphiques*. Le mythe d'Orphée occupe une place importante dans la pensée de Victor Hugo : il a, selon lui, « complété l'œuvre de Prométhée, en pressentant la vanité des dieux ».

J'atteste Tanaïs[1], le noir* fleuve aux six urnes,
Et Zeus qui fait traîner sur les grands chars nocturnes
Rhéa[2] par des taureaux et Nyx[3] par des chevaux,
Et les anciens géants et les hommes nouveaux,
5 Pluton qui nous dévore, Uranus[4] qui nous crée,
Que j'adore une femme et qu'elle m'est sacrée*.
Le monstre aux cheveux bleus[5], Poséidon, m'entend ;
Qu'il m'exauce. Je suis l'âme humaine chantant,
Et j'aime. L'ombre* immense est pleine de nuées,
10 La large pluie abonde aux feuilles remuées,
Borée émeut les bois, Zéphyr[6] émeut les blés,
Ainsi nos cœurs profonds* sont par l'amour troublés.
J'aimerai cette femme appelée Eurydice,
Toujours, partout ! Sinon que le ciel me maudisse,
15 Et maudisse la fleur naissante et l'épi mûr[7] !
Ne tracez pas de mots magiques sur le mur[8].

1. *Tanaïs* : ancien nom du Don ; 2. *Rhéa* : épouse de Kronos et mère de Zeus ;
3. *Nyx* : la Nuit ; 4. *Uranus* (grec *Ouranos* : Hugo mêle les langues) : le Ciel, père
de Kronos ; 5. *Aux cheveux bleus* : emprunt à la traduction de Leconte de Lisle ;
6. *Borée* : dieu des Vents du nord ; *Zéphyr* : dieu des Vents d'ouest ; 7. Malédictions
empruntées aux prophètes de la Bible ; 8. Ce vers, très obscur, a été diversement
interprété : allusion aux pratiques de la religion orphique ? inscriptions tombales ?
Mais les images bibliques du vers précédent font penser aussi à la vision de Balthazar apercevant « Mané, Thécel, Pharès », inscrits par une main mystérieuse
sur le mur.

━━━━ **QUESTIONS** ━━━━

● Commentez les allitérations du premier hémistiche du vers 1 et du
vers 2, l'enjambement des vers 2-3. — En quoi le vers 6 fait-il à lui seul
contrepoids aux cinq premiers vers ? — Étudiez le rythme des vers 7-
10 : en quoi marquent-ils la ferme volonté d'Orphée ? Quel est le sens
plein d'*abonde* (vers 10) ? — A quoi tend la ressemblance des rimes
(vers 9-12) ? Comment est mis en valeur le nom de la femme aimée ?
l'obstination rageuse de l'amant ? — Qu'est-ce qui fait le mystère et la
beauté du vers 16 ?
■ SUR « ORPHÉE ». — L'attitude d'Orphée vous paraît-elle respectueuse
à l'égard des dieux qu'il prend à témoin ? Que leur oppose-t-il ? Quels
sont les deux éléments dont il veut être le représentant ? Quelle audace
y a-t-il à cela ? Ne dépossède-t-il pas les dieux de leur propre domaine ?
Comparez Orphée et le satyre (pages 33 et suivantes).

IX

VIRGILE

Composée le 20 janvier 1877, cette idylle est une variation sur les thèmes bucoliques de Virgile : aucun emprunt littéral, aucune imitation de style même, mais un chant personnel où passent des thèmes chers au poète de Mantoue, les noms les plus musicaux de ses personnages, une évocation gracieuse, vivante et fervente de celui dont Victor Hugo avait prétendu, dans une pièce des *Voix intérieures*, qu'il était son *maître divin*.

Déesses, ouvrez-moi l'Hélicon[1] maintenant.
O bergers, le hallier sauvage est surprenant ;
On y distingue au loin de confuses descentes
D'hommes ailés, mêlés à des nymphes dansantes ;
5 Des clartés en chantant passent, et je les suis.
Les bois me laissent faire et savent qui je suis.
O pasteurs, j'ai Mantoue et j'aurai Parthénope[2] ;
Comme le taureau-dieu pressé du pied d'Europe[3],
Mon vers, tout parfumé de roses et de lys,
10 A l'empreinte du frais talon d'Amaryllis[4] ;
Les filles aux yeux bleus courent dans mes églogues ;
Bacchus avec ses lynx[5], Diane avec ses dogues,
Errent, sans déranger une branche, à travers
Mes poëmes, et Faune est dans mes antres verts[6].
15 Quel qu'il soit, et fût-il consul[7], fût-il édile,
Le passant ne pourra rencontrer mon idylle
Sans trouble, et, tout à coup, voyant devant ses pas
Une pomme rouler et fuir, ne saura pas
Si dans votre épaisseur sacrée* elle est jetée,
20 Forêts, pour Atalante, ou bien pour Galatée[8].

---

1. *Hélicon :* mont consacré aux Muses *(Déesses...)* ; 2. *Parthénopé :* ancien nom de Naples, venant de la sirène Parthénopé, qui y avait son tombeau; souvenir de l'épitaphe de Virgile : « Mantoue m'a donné le jour [...], maintenant c'est Parthénopé qui me retient... »; 3. *Europe*, princesse de Phénicie, fut enlevée par Zeus métamorphosé en taureau, qui la conduisit en Crète malgré ses cris de terreur (voir « le Rouet d'Omphale » dans *les Contemplations*); 4. *Amaryllis :* bergère des *Bucoliques* de Virgile; 5. *Les lynx* (voir *les Géorgiques*, III, 264), les tigres et les panthères tiraient ou accompagnaient le char de Bacchus; 6. Silène est couché dans un antre (VIe *Bucolique*); 7. Virgile s'adressait au *consul* Pollion, au début de sa IVe *Bucolique ;* 8. Silène, dans la VIe *Bucolique*, chante *Atalante*, qui défiait ses prétendants à la course et, imbattable, les faisait mettre à mort; mais Hippomène, l'un d'eux, la vainquit en laissant tomber trois pommes d'or du jardin des Hespérides qu'elle voulut ramasser (vers 61). Dans la IIIe *Bucolique*, Damis évoque son amante *Galatée*, qui, par coquetterie, lui lance une pomme et va se cacher dans les buissons. La pomme était le fruit de Vénus.

Mes vers seront si purs qu'après les avoir lus
Lycoris ne pourra que sourire à Gallus[1].
La forêt où je chante est charmante et superbe*;
   Je veux qu'un divin songe y soit couché dans l'herbe,
25 Et que l'homme et la femme, ayant mon âme entre eux,
S'ils entrent dans l'églogue en sortent amoureux.

III. L'IDYLLE DU VIEILLARD

LA VOIX D'UN ENFANT D'UN AN

Datée du 16 octobre 1870. Au mois de juillet précédent, la femme de Charles Hugo, fils du poète, était venue à Guernesey avec ses deux enfants, Georges (deux ans) et Jeanne (un an) : le grand-père, attendri, leur consacra cette idylle qui annonce le recueil futur *l'Art d'être grand-père*. Mais Hugo élargit ici le thème lyrique pour aborder le problème du langage, qu'avait mis à l'ordre du jour le livre d'Ernest Renan, *De l'origine du langage* (1858).

Que dit-il? Croyez-vous qu'il parle? J'en suis sûr.
Mais à qui parle-t-il? A quelqu'un dans l'azur;
A ce que nous nommons les esprits; à l'espace,
Au doux battement d'aile invisible qui passe,
5 A l'ombre*, au vent, peut-être au petit frère mort[2].
L'enfant apporte un peu de ce ciel dont il sort;
Il ignore, il arrive; homme, tu le recueilles.
Il a le tremblement des herbes et des feuilles.
La jaserie avant le langage est la fleur
10 Qui précède le fruit, moins beau qu'elle, et meilleur,

---

1. Dans la Xe *Bucolique*, Virgile évoque les peines d'amour causées à *Gallus* par *Lycoris*, qui l'a abandonné; **2.** Le premier fils de Charles Hugo, qui n'avait pas vécu.

──── **QUESTIONS** ────

■ Sur « Virgile ». — Quelle est l'idée générale de cette idylle?
  — Quelle est l'attitude du poète à l'égard de la nature, et, inversement, de la nature à l'égard du poète? Relevez les mots de caractère *sylvestre;* étudiez leur place et leur progression. Quel rapport finit par s'établir entre le poème et la forêt? Commentez en particulier le vers 13.
  — Comment est formulée l'invitation à aimer? Quelle place respective y tiennent le mirage, l'appel malicieux, le songe? Relevez des termes et des vers illustrant ces trois aspects.
  — Comment Hugo a-t-il pratiqué l'art de l'allusion? Ne retrouve-t-on pas pourtant des traits caractéristiques de son style? Lesquels?
  — Quelle impression Hugo a-t-il voulu nous donner de la poésie de Virgile?

Si c'est être meilleur qu'être plus nécessaire.
L'enfant candide*, au seuil de l'humaine misère,
Regarde cet étrange et redoutable lieu,
Ne comprend pas, s'étonne, et, n'y voyant pas Dieu,
15 Balbutie, humble voix confiante et touchante ;
Ce qui pleure finit par être ce qui chante ;
Ses premiers mots ont peur comme ses premiers pas ;
Puis il espère.

        Au ciel où notre œil n'atteint pas
Il est on ne sait quel nuage de figures
20 Que les enfants, jadis vénérés des augures,
Aperçoivent d'en bas et qui les fait parler.
Ce petit voit peut-être un œil étinceler ;
Il l'interroge ; il voit, dans de claires nuées,
Des faces resplendir, sans fin diminuées,
25 Et, fantômes réels qui pour nous seraient vains,
Le regarder, avec des sourires divins ;
L'obscurité sereine étend sur lui ses branches ;
Il rit, car de l'enfant les ténèbres* sont blanches.
C'est là, dans l'ombre*, au fond des éblouissements*,
30 Qu'il dialogue avec des inconnus charmants ;
L'enfant fait la demande et l'ange la réponse ;
Le babil puéril dans le ciel bleu s'enfonce,
Puis s'en revient, avec les hésitations
Du moineau qui verrait planer les alcyons.
35 Nous appelons cela bégaiement ; c'est l'abîme*
Où, comme un être ailé qui va de cime en cime,
La parole, mêlée à l'éden, au matin,
Essayant de saisir là-haut un mot lointain,
Le prend, le lâche, cherche et trouve, et s'inquiète.

● QUESTIONS

● Vers 1-18. Quel est le sens de l'opposition *Croyez-vous* [...] *J'en
suis sûr* (vers 1) ? L'intention de la nuance apportée par la restriction
à ce que nous nommons les esprits (vers 3). Quelles sont les deux étapes
indiquées de la *jaserie* de l'enfant ? Est-ce que la composition de ces
vers suit pas à pas cette démarche ? Quelle est la *misère* et la *grandeur*
de l'homme ? — Distinguez les passages où le rythme traduit l'*hésita-
tion* de l'enfant, et ceux où il traduit au contraire l'*assurance* de son
envol : analysez de près le jeu des coupes.

● Vers 18-34. Quels sont les détails qui soulignent : 1º que les visions
célestes sont un don accordé seulement aux enfants ; 2º que même si
ce don était accordé aux adultes, ils ne pourraient l'utiliser. Pourquoi
cela ? D'où vient la joie de l'enfant ? — Relevez deux alliances de mots
antithétiques. Quelle est leur valeur ? Justifiez la comparaison du vers 34.

40 Dans ce que dit l'enfant le ciel profond* s'émiette.
   Quand l'enfant jase avec l'ombre* qui le bénit,
   La fauvette, attentive, au rebord de son nid
   Se dresse, et ses petits passent, pensifs et frêles,
   Leurs têtes à travers les plumes de ses ailes;
45 La mère semble dire à sa couvée : « Entends,
   Et tâche de parler aussi bien. » — Le printemps,
   L'aurore, le jour bleu du paradis paisible,
   Les rayons, flèches d'or dont la terre est la cible,
   Se fondent, en un rythme obscur, dans l'humble chant
50 De l'âme chancelante et du cœur trébuchant.
   Trébucher, chanceler, bégayer, c'est le charme
   De cet âge où le rire éclôt dans une larme.
   O divin clair-obscur du langage enfantin!
   L'enfant semble pouvoir désarmer le destin;
55 L'enfant sans le savoir enseigne la nature;
   Et cette bouche rose est l'auguste ouverture
   D'où tombe, ô majesté de l'être faible et nu!
   Sur le gouffre ignoré le logos[1] inconnu.
   L'innocence au milieu de nous, quelle largesse!
60 Quel don du ciel! Qui sait les conseils de sagesse,
   Les éclairs de bonté, qui sait la foi, l'amour,
   Que versent, à travers leur tremblant demi-jour,
   Dans la querelle[2] amère et sinistre* où nous sommes,
   Les âmes des enfants sur les âmes des hommes?
65 Le voit-on jusqu'au fond ce langage où l'on sent
   Passer tout ce qui fait tressaillir l'innocent?
   Non. Les hommes émus écoutent ces mêlées
   De syllabes dans l'aube adorable envolées,
   Idiome où le ciel laisse un reste d'accent,

---

1. *Logos* (mot grec) : la parole, source des idées d'origine divine; 2. *Querelle* : état de misère (sens dérivé du sens classique : « querelle »).

──────── **QUESTIONS** ────────────────────────────

● Vers 35-40. Quel est le procédé d'élargissement épique? Vous paraît-il adéquat? Que traduit le rythme de ces vers?

● Vers 41-46. Commentez le rejet du vers 43 et la disjonction du complément d'objet et du verbe dans les vers 43-44.

● Vers 47-58. Quelle est la progression du développement dans ces vers? Quelle grandeur vient s'ajouter à l'éclat divin dans les paroles de l'enfant? Pourquoi le poète les qualifie-t-il maintenant de *chant* (vers 49)? — Étudiez la reprise de la syllabe *chan-* dans les vers 49-50-51 : quel est l'effet produit, particulièrement au vers 50?

70 Mais ne comprennent pas, et s'en vont en disant :
   — « Ce n'est rien; c'est un souffle, une haleine, un murmure;
   Le mot est incomplet quand l'âme n'est pas mûre. » —
   Qu'en savez-vous? Ce cri, ce chant qui sort d'un nid,
   C'est l'homme qui commence et l'ange qui finit.
75 Vénérez-le. Le bruit mélodieux, la gamme
   Dénouée et flottante où l'enfance amalgame
   Le parfum de sa lèvre et l'azur de ses yeux,
   Ressemble, ô vent du ciel, aux mots mystérieux
   Que, pour exprimer l'ombre* ou le jour, tu proposes
80 A la grande âme obscure éparse dans les choses.
   L'être qui vient d'éclore en ce monde où tout ment,
   Dit comme il peut son triste* et doux étonnement.
   Pour l'animal perdu dans l'énigme profonde*,
   Tout vient de l'homme. L'homme ébauche dans ce monde
85 Une explication du mystère, et par lui
   Au fond du noir* problème un peu de jour a lui.
   Oui, le gazouillement, musique molle et vague,
   Brouillard de mots divins confus comme la vague,
   Chant dont les nouveau-nés ont le charmant secret,
90 Et qui de la maison passe dans la forêt,
   Est tout un verbe, toute une langue, un échange
   De l'aube avec l'étoile et de l'âme avec l'ange,
   Idiome des nids, truchement[1] des berceaux,
   Pris aux petits enfants par les petits oiseaux.

---

1. Expression assez obscure. La première rédaction était *langage des berceaux*; on peut comprendre que les berceaux servent d'intermédiaires pour l'expression de ce langage épars.

━━━━ **QUESTIONS** ━━━━━━━━━━━━━━━━━━━━━━━━

● Vers 59-72. Quels reproches le poète fait-il aux autres hommes? Parle-t-il tout à fait en « homme qui sait »? Comment s'explique l'impuissance des hommes à comprendre le langage des enfants?

● Vers 73-94. Commentez dans les vers 75-77 la poésie des épithètes et des enjambements. Quelle est la valeur de la reprise dans le vers 84? Le vers 88 vous semble-t-il trop riche en images? — Quelle est la hiérarchie des êtres proposée ici par Hugo? Vous semble-t-elle conforme à celle de pièces comme « le Crapaud » (voir la note au vers 107 du « Crapaud »)? Le vers 94 nuit-il à la cohérence du développement? Expliquez l'idée finale du poème.

■ Sur l'ensemble de « l'Idylle du vieillard ». — Résumez le contenu du poème. Quelle leçon d'humilité l'auteur veut-il donner aux hommes? Peut-on comparer la poésie de Hugo et le langage de l'enfance?
  — Caractérisez la forme et le genre de cette « idylle ». Est-elle à sa place dans le *Groupe des idylles?* dans *la Légende des siècles?*

XLIX. LE TEMPS PRÉSENT

Cette partie contient des pièces publiées dans les trois séries et écrites à des dates diverses. Les pièces de la série de 1877 y dominent toutefois : les allusions aux événements contemporains, la satire avaient pris plus de place dans la deuxième série de *la Légende des siècles*.

En tête du groupe, « la Vérité » développe un long parallèle entre le lever des astres et la marche de l'Idée.

Ensuite viennent deux morceaux inspirés par la « Révolution de 1793 ». Dans « Tout était vision », trois fantômes jettent dans l'abîme, à tour de rôle, trois cris : le premier annonce à Balthazar, festoyant, sa mort prochaine; le second, à César, les ides de Mars; le troisième, aux rois de France, la date fatidique de Quatre-vingt-treize; enfin tous les trois le Jugement dernier de tous les hommes dans la vallée de Josaphat. C'est un préambule grandiose pour « Jean Chouan ».

III. JEAN CHOUAN

Rédaction : un projet ancien d' « immense épopée de la Révolution » (1857) aboutit curieusement à un roman, achevé en 1873, *Quatrevingt-Treize*, développant seulement un épisode de la guerre de Vendée. « Jean Chouan » en est issu : **esquissé en 1857,** sérieusement **repris en avril 1873** à Guernesey, il fut **achevé** à Paris le **14 décembre 1876. Publication : 1877. Sources :** la source directe est le dernier chapitre des *Lettres sur l'origine de la chouannerie* de Duchemin-Descépeaux, l'une des lectures préférées de Hugo, où se trouvait dramatisée la mort de Jean Chouan, chef de la « chouannerie des petits », en réalité aventurier de peu d'envergure. Mais, comme l'écrivait l'auteur de *Quatrevingt-Treize* (III, I, 1) : « La Vendée ne peut être complètement expliquée que si la légende complète l'histoire; il faut l'histoire pour l'ensemble et la légende pour le détail. »

Le thème des chouans chez Hugo : le jeune auteur royaliste des *Odes* exprimait une admiration passionnée à la fois pour la cause et pour les actes des « martyrs » de Vendée. Fier d'avoir une « mère vendéenne » *(les Feuilles d'automne)*, il lui prêtait même une participation active à la lutte des chouans. Mais, dès 1830, il se prétend seulement « Vendéen d'âme » et refuse d'être un « Vendéen de cœur » : le fanatisme aveugle, le royalisme acharné de ses idoles de naguère lui paraissent maintenant absurdes. Il préfère souligner le rôle que joua son père dans la lutte contre les Vendéens. Dans une pièce des *Contemplations*, écrite en 1854, mais intitulée « Écrit en 1846 », il condamne avec une ironie mordante les opinions qu'il avait exaltées. Son admiration pour la grandeur épique de ceux qu'il continue de considérer comme des héros reste cependant entière.

Les blancs fuyaient, les bleus[1] mitraillaient la clairière.

Un coteau dominait cette plaine, et derrière
Le monticule nu, sans arbre et sans gazon,
Les farouches* forêts emplissaient l'horizon.

5 En arrière du tertre, abri sûr, rempart sombre*,
Les blancs se ralliaient, comptant leur petit nombre,
Et Jean Chouan parut, ses longs cheveux au vent.
— « Ah! personne n'est mort, car le chef est vivant! »
Dirent-ils. Jean Chouan écoutait la mitraille.

                                                    [s'en aille!

10 — « Nous manque-t-il quelqu'un? — Non. — Alors qu'on
Fuyez tous! » — Les enfants, les femmes aux abois
L'entouraient, effarés. — « Fils, rentrons dans les bois!
Dispersons-nous! » — Et tous, comme des hirondelles
S'évadent dans l'orage immense à tire-d'ailes,

15 Fuirent vers le hallier noyé dans la vapeur;
Ils couraient; les vaillants courent quand ils ont peur;
C'est un noir* désarroi qu'une fuite où se mêle
Au vieillard chancelant l'enfant à la mamelle[2];
On craint d'être tué, d'être fait prisonnier!

20 Et Jean Chouan marchait à pas lents, le dernier,
Se retournant parfois et faisant sa prière.
Tout à coup on entend un cri dans la clairière,
Une femme parmi les balles apparaît.
Toute la bande était déjà dans la forêt,

25 Jean Chouan seul restait; il s'arrête, il regarde,
C'est une femme grosse, elle s'enfuit, hagarde*
Et pâle, déchirant ses pieds nus aux buissons;

---

1. *Les blancs :* les royalistes; *les bleus :* les républicains; **2.** Pendant la guerre de Vendée, les femmes, les enfants et les vieillards se trouvaient mêlés aux combattants.

——————— ● **QUESTIONS** ———————————————

● VERS 1-9. Comment la scène se précise-t-elle peu à peu? Dans quel ordre les divers éléments en sont-ils exposés? Pourquoi? Que traduit l'asymétrie du vers 1? Comment le *tertre* est-il mis en valeur?
● VERS 10-21. Quels sont les deux traits de caractère et les deux soucis de Jean Chouan mis en valeur? — Expliquez l'antithèse du vers 16 : comment Hugo excuse-t-il la fuite de ces *vaillants?* — Qu'est-ce qui rend plus lourds et plus lents les vers 20-21?

Elle est seule; elle crie : « A moi, les bons garçons! »
Jean Chouan rêveur dit : « C'est Jeanne-Madeleine[1]. »
30 Elle est le point de mire au milieu de la plaine;
La mitraille sur elle avec rage s'abat.
Il eût fallu que Dieu lui-même se courbât
Et la prît par la main et la mît sous son aile[2],
Tant la mort formidable* abondait autour d'elle;
35 Elle était perdue. — « Ah! criait-elle, au secours! »
Mais les bois sont tremblants et les fuyards sont sourds.
Et les balles pleuvaient sur la pauvre brigande[3].

Alors sur le coteau qui dominait la lande
Jean Chouan bondit, fier, tranquille, altier, viril.
40 Debout : — « C'est moi qui suis Jean Chouan! » cria-t-il.
Les bleus dirent : — « C'est lui, le chef! » et cette tête,
Prenant toute la foudre et toute la tempête,
Fit changer à la mort de cible. — « Sauve-toi!
Cria-t-il, sauve-toi, ma sœur! » — Folle d'effroi,
45 Jeanne hâta le pas vers la forêt profonde*.
Comme un pin sur la neige ou comme un mât sur l'onde,
Jean Chouan, qui semblait par la mort ébloui*,
Se dressait, et les bleus ne voyaient plus que lui.
— « Je resterai le temps qu'il faudra. Va, ma fille!
50 Va, tu seras encor joyeuse en ta famille,
Et tu mettras encor des fleurs à ton corset! »
Criait-il. — C'était lui maintenant que visait
L'ardente fusillade, et sur sa haute taille
Qui semblait presque prête à gagner la bataille,
55 Les balles s'acharnaient, et son puissant dédain
Souriait; il levait son sabre nu... — Soudain
Par une balle, ainsi l'ours est frappé dans l'antre,
Il se sentit trouer de part en part le ventre;
Il resta droit et dit : — « Soit. *Ave Maria!* »

---

1. *Jeanne-Madeleine* est la femme du frère de Jean Chouan, René Cottereau;
2. Expression fréquente dans les Psaumes; 3. Le sens ancien de *brigand* est « soldat à pied ». Peut-être en reste-t-il quelque chose ici.

● QUESTIONS

● Vers 22-37. Comment expliquez-vous que les compagnons de Jean Chouan aient oublié de signaler que Jeanne-Madeleine manquait à l'appel, au vers 10? — Commentez la répétition de *seul* (vers 25-28). Expliquez l'attitude *rêveuse* de Jean Chouan au vers 29. — Quelle grandeur la remarque des vers 32-33 va-t-elle conférer au geste de Jean Chouan?

60 Puis, chancelant, tourné vers le bois, il cria :
— « Mes amis! mes amis! Jeanne est-elle arrivée? »
Des voix dans la forêt répondirent : — « Sauvée! »
Jean Chouan murmura : « C'est bien! » et tomba mort.

Paysans! paysans! hélas! vous aviez tort,
65 Mais votre souvenir n'amoindrit pas la France;
Vous fûtes grands dans l'âpre et sinistre* ignorance;
Vous que vos rois, vos loups, vos prêtres, vos halliers
Faisaient bandits, souvent vous fûtes chevaliers;
A travers l'affreux* joug et sous l'erreur infâme
70 Vous avez eu l'éclair mystérieux de l'âme;
Des rayons jaillissaient de votre aveuglement;
Salut! Moi le banni[1], je suis pour vous clément;
L'exil n'est pas sévère aux pauvres toits de chaumes[2];
Nous sommes des proscrits, vous êtes des fantômes;
75 Frères, nous avons tous combattu; nous voulions
L'avenir; vous vouliez le passé, noirs lions;
L'effort que nous faisions pour gravir sur[3] la cime,
Hélas! vous l'avez fait pour rentrer dans l'abîme*;
Nous avons tous lutté, diversement martyrs,
80 Tous sans ambitions et tous sans repentirs,
Nous pour fermer l'enfer, vous pour rouvrir la tombe[4];
Mais sur vos tristes* fronts la blancheur d'en haut tombe,
La pitié fraternelle et sublime* conduit

---

1. Le sens étymologique de *bandit* est « banni », « hors-la-loi ». D'où le rapprochement; **2.** L'exilé est indulgent et comprend l'attitude des habitants des pauvres chaumières; **3.** *Gravir* est normalement transitif; la construction utilisée ici, par analogie avec le verbe « grimper », a une valeur expressive; **4.** L'*enfer* est à la fois l'Ancien Régime, anéanti par les soldats républicains, dont Hugo se fait ici l'héritier, mais aussi le second Empire, contre lequel il lutte dans son exil présent. La *tombe* est le symbole de la royauté, morte avec Louis XVI.

■ **QUESTIONS** ───────────

● VERS 38-63. Quelle est la valeur expressive du rejet du vers 39 et de la cascade des épithètes (analysez leur progression)? — Quel est le jeu de mots contenus dans le vers 41? Étudiez la progression épique des vers 41-43. — Comment la dislocation de l'alexandrin traduit-elle l'effroi et la fuite de Jeanne-Madeleine? Pourquoi Jean Chouan est-il *ébloui* par la mort? — De quel sentiment Jean Chouan fait-il preuve dans les vers 49-52? 59? 60-63? Analysez l'alliance du concret et de l'abstrait dans l'expression *son puissant dédain/Souriait* : qu'est-ce qui souligne encore la bizarrerie de l'expression? Les comparaisons qui sont appliquées à Jean Chouan rappellent tantôt les paladins (voir vers 53-54), tantôt les bêtes sauvages (voir vers 57) : est-ce incohérent? Quelle est la raison de cette apparente contradiction?

Les fils de la clarté vers les fils de la nuit,
85 Et je pleure en chantant cet hymne tendre et sombre*,
Moi, soldat de l'aurore, à toi, héros de l'ombre*.

Après la Révolution, le premier Empire est représenté par trois poèmes écrits soit à la gloire du père de Hugo, soit à la gloire de son oncle (V. « la Sœur de charité » et VI. « le Cimetière d'Eylau »).

IV. APRÈS LA BATAILLE

Rédaction : le manuscrit est **daté du 18 juin 1850.** Le titre a dû être ajouté postérieurement. **Publication : 1859,** où ce poème ouvrait la partie « Maintenant ». Dans l'ensemble de *la Légende des siècles*, il illustre bien l'éveil de la conscience morale : des sentiments humains subsistent, même en temps de guerre, dans une âme d'élite. **Sources** : sur la piété filiale de Hugo, voir la notice de *Bivar*. Si l'on en juge par *Victor Hugo raconté par un témoin de sa vie*, la bonté était la caractéristique essentielle du général Hugo. L'anecdote racontée ici est-elle authentique? Il est difficile de l'affirmer. Du moins, les *Mémoires* du général Hugo, édités par son fils, contiennent-ils des récits qui rendent celui-ci vraisemblable.

Mon père, ce héros au sourire si doux,
Suivi d'un seul housard[1] qu'il aimait entre tous
Pour sa grande bravoure et pour sa haute taille,
Parcourait à cheval, le soir d'une bataille,
5 Le champ couvert de morts sur qui tombait la nuit.

------

1. *Housard* : hussard.

------ **QUESTIONS** ------

● Vers 64-86. Quelle est la position de Hugo à l'égard de la chouannerie dans ces vers? Quel rapprochement établit-il entre les chouans et lui-même (*bandit* garde-t-il quelque chose de son sens étymologique au vers 68)? Quelle opposition établit-il en revanche? Relevez le jeu des antithèses : quelle idée est mise en valeur? — Comment Hugo peut-il mettre sur le même plan au vers 67 : *rois, loups, prêtres* et *halliers?* Quelle influence ont pu jouer les loups et les halliers en faveur de la guerre? — Le cliquetis verbal vous semble-t-il nuire à la qualité de ce dernier mouvement du poème?

■ Sur l'ensemble de « Jean Chouan ». — Quelles sont les différentes scènes? Comment Hugo a-t-il concentré l'intérêt sur Jean Chouan? Sur qui voudrait-il le concentrer dans l'apostrophe finale?
— Relevez et classez les différents procédés épiques. Hugo en a-t-il abusé?
— Comparez le héros de ce poème et les « paysans-paladins » de *Quatrevingt-Treize.*

Il lui sembla dans l'ombre* entendre un faible bruit.
C'était un Espagnol de l'armée en déroute[1]
Qui se traînait sanglant sur le bord de la route,
Râlant, brisé, livide*, et mort plus qu'à moitié,
10 Et qui disait : — « A boire, à boire par pitié ! » —
Mon père, ému, tendit à son housard fidèle
Une gourde de rhum qui pendait à sa selle,
Et dit : — « Tiens, donne à boire à ce pauvre blessé. » —
Tout à coup, au moment où le housard baissé
15 Se penchait vers lui, l'homme, une espèce de Maure,
Saisit un pistolet qu'il étreignait encore,
Et vise au front mon père en criant : Caramba[2] !
Le coup passa si près que le chapeau tomba
Et que le cheval fit un écart en arrière.
20 — « Donne-lui tout de même à boire », dit mon père.

VI. LE CIMETIÈRE D'EYLAU

Rédaction : issu d'un **projet fort ancien,** dont les brouillons de Hugo
nous ont conservé les esquisses, ce poème est **daté du 28 février 1874.**
Publication : 1877.
    La figure du général Louis Hugo demeurait vivante dans la
mémoire de ses neveux depuis le jour où il était venu rendre visite
à Mme Hugo aux Feuillantines et leur avait raconté la bataille
d'Eylau à laquelle il avait pris part comme capitaine, le 7 février 1807,
et où il avait eu le bras droit brisé par un éclat d'obus.

---

1. Le général Hugo, qui avait accompagné Joseph Bonaparte dans son nouveau
royaume, battit en 1811 Diaz, dit « l'Empeciniado », qui s'opposait à l'avance
de l'armée française ; 2. Juron espagnol.

--- **QUESTIONS** ---

■ SUR « APRÈS LA BATAILLE ». — Quelles sont les trois parties du texte ?
Montrez que chacune d'elles contient un trait décrivant la bonté du
général Hugo. Analysez la progression dans la mise en valeur de la
grandeur morale du héros.
    — Combien de fois et à quelles places revient le son *ou* dans les
quatre premiers vers ? Quelle est sa valeur musicale et expressive ?
Que pensez-vous du parallélisme entre les deux éléments du vers 3 ?
    — Commentez l'emploi du relatif au vers 5. Les vers 5 et 6 semblent
n'être coupés ni l'un ni l'autre : est-ce vrai ? Commentez l'effet. — Quel
est le rôle de l'enjambement des vers 11 et 12 ? Le parallélisme *Et qui
disait* (vers 10), *Et dit* (vers 13) vous semble-t-il maladroit ou expressif ?
    — Quels sont les divers éléments qui donnent du mouvement à la péri-
pétie proprement dite ? Sur quel ton prononcez-vous le dernier vers ?
    — Quels détails laissent deviner le sourire de Victor Hugo ? Ce sou-
rire nuit-il à la grandeur du récit ?

Le chapitre XIII du *Victor Hugo raconté par un témoin de sa vie* est
entièrement consacré à cet événement dans la vie des enfants Hugo.
   On ne cherchera pas dans ce poème la vérité historique : c'est
l'Empereur lui-même, et non le capitaine Hugo, qui occupait
le cimetière d'Eylau; les soldats sous les ordres de notre héros
étaient 85 et non 120, etc. Parce que c'est le moment le plus héroïque
de sa vie, parce qu'on embellit toujours le passé, parce qu'il s'adresse
à un public enfantin, parce que le souvenir de l'auteur reste impré-
gné de l'admiration naïve d'autrefois, l'oncle se place ici au premier
rang de la bataille. Mais, en même temps, il a la modestie du soldat
qui sait qu'il n'est qu'un jouet et qui est le premier étonné du rôle
qu'il a rempli.

    A mes frères aînés, écoliers éblouis*,
    Ce qui suit fut conté par mon oncle Louis,
    Qui me disait à moi, de sa voix la plus tendre :
    — Joue, enfant! — me jugeant trop petit pour comprendre.
5   J'écoutais cependant, et mon oncle disait :
    — « Une bataille, bah! savez-vous ce que c'est?
    De la fumée. A l'aube on se lève, à la brune
    On se couche; et je vais vous en raconter une.
    Cette bataille-là se nomme Eylau; je crois
10 Que j'étais capitaine et que j'avais la croix¹;
    Oui, j'étais capitaine. Après tout, à la guerre,
    Un homme, c'est de l'ombre*, et ça ne compte guère,
    Et ce n'est pas de moi qu'il s'agit. Donc, Eylau
    C'est un pays² en Prusse; un bois, des champs, de l'eau,
15 De la glace, et partout l'hiver et la bruine.

    Le régiment campa près d'un mur en ruine;
    On voyait des tombeaux autour d'un vieux clocher.
    Benigssen³ ne savait qu'une chose, approcher
    Et fuir; mais l'empereur dédaignait ce manège;
20 Et les plaines étaient toutes blanches de neige.
    Napoléon passa, sa lorgnette à la main.
    Les grenadiers disaient : Ce sera pour demain.
    Des vieillards, des enfants pieds nus, des femmes grosses
    Se sauvaient; je songeais; je regardais les fosses⁴.
25 Le soir on fit les feux, et le colonel vint;
    Il dit : « Hugo? — Présent. — Combien d'hommes? —
                                                   [Cent vingt.

---

   1. La *croix* de la Légion d'honneur : en fait c'est à la bataille d'Eylau précisément qu'il la gagna; 2. *Pays* : familier pour « ville »; 3. *Benigssen* : général alle-
mand (1745-1826) qui avait alors le commandement des troupes russes et qui
échappait à toutes les tentatives d'encerclement; 4. *Les fosses* : ici, les tombes.

— Bien. Prenez avec vous la compagnie entière.
Et faites-vous tuer. — Où? — Dans le cimetière. »
Et je lui répondis : — « C'est en effet l'endroit. »
30 J'avais ma gourde, il but et je bus; un vent froid
Soufflait. Il dit : — « La mort n'est pas loin. Capitaine,
J'aime la vie, et vivre est la chose certaine;
Mais rien ne sait mourir comme les bons vivants.
Moi, je donne mon cœur; mais ma peau, je la vends.
35 Gloire aux belles! Trinquons. Votre poste est le pire. » —
Car notre colonel avait le mot pour rire.
Il reprit : — « Enjambez le mur et le fossé,
Et restez là; ce point est un peu menacé.
Ce cimetière étant la clef de la bataille,
40 Gardez-le. — Bien. — Ayez quelques bottes de paille.
— On n'en a point. — Dormez par terre. — On dormira.
— Votre tambour est-il brave? — Comme Bara[1].
— Bien. Qu'il batte la charge au hasard, et dans l'ombre*.
Il faut avoir le bruit quand on n'a pas le nombre. »
45 Et je dis au gamin : — « Entends-tu, gamin? — Oui,
Mon capitaine », dit l'enfant, presque enfoui
Sous le givre et la neige, et riant. — « La bataille,
Reprit le colonel, sera toute à mitraille;.
Moi, j'aime l'arme blanche, et je blâme l'abus
50 Qu'on fait des lâchetés féroces de l'obus;
Le sabre est un vaillant, la bombe une traîtresse;
Mais laissons l'empereur faire. Adieu, le temps presse.
Restez ici demain sans broncher. Au revoir.
Vous ne vous en irez qu'à six heures du soir. » —
55 Le colonel partit. Je dis : — « Par file à droite! »
Et nous entrâmes tous dans une enceinte étroite;
De l'herbe, un mur autour, une église au milieu,
Et dans l'ombre*, au-dessus des tombes, un bon Dieu.

---

1. *Joseph Bara* : jeune tambour de l'armée républicaine qui, fait prisonnier au cours de la guerre de Vendée, préféra se faire tuer plutôt que de crier : « Vive le roi! »

● QUESTIONS ●

● VERS 1-58. Étudiez les vers 6 à 15 de ce récit pour montrer qu'il est à la fois *débridé* et *hésitant :* quel est le ton du général? Qu'est-ce qui caractérise son vocabulaire? — L'héroïsme moderne d'après le langage et l'état d'esprit des trois personnages : le colonel, le capitaine, le tambour. — Comment Hugo réussit-il à camper un décor en quelques traits (vers 14-15 et 57-58)? Qu'est-ce que le bon Dieu au vers 58?

Un cimetière sombre*, avec de blanches lames,
60 Cela rappelle un peu la mer. Nous crénelâmes
Le mur, et je donnai le mot d'ordre, et je fis
Installer l'ambulance au pied du crucifix.
— « Soupons, dis-je, et dormons. » — La neige cachait
[l'herbe ;
Nos capotes étaient en loques ; c'est superbe*,
65 Si l'on veut, mais c'est dur quand le temps est mauvais.
Je pris pour oreiller une fosse ; j'avais
Les pieds transis, ayant des bottes sans semelle ;
Et bientôt, capitaine et soldats pêle-mêle,
Nous ne bougeâmes plus, endormis sur les morts.
70 Cela dort, les soldats ; cela n'a ni remords,
Ni crainte, ni pitié, n'étant pas responsable ;
Et, glacé par la neige ou brûlé par le sable,
Cela dort ; et d'ailleurs, se battre rend joyeux.
Je leur criai : Bonsoir ! et je fermai les yeux ;
75 A la guerre on n'a pas le temps des pantomimes[1].
Le ciel était maussade, il neigeait, nous dormîmes.
Nous avions ramassé des outils de labour,
Et nous en avions fait un grand feu. Mon tambour
L'attisa, puis s'en vint près de moi faire un somme.
80 C'était un grand soldat, fils, que ce petit homme.
Le crucifix resta debout, comme un gibet.
Bref le feu s'éteignit ; et la neige tombait ;
Combien fut-on de temps à dormir de la sorte ?
Je veux, si je le sais, que le diable m'emporte !
85 Nous dormions bien. Dormir, c'est essayer la mort.
A la guerre c'est bon. J'eus froid, très froid d'abord ;
Puis je rêvai ; je vis en rêve des squelettes
Et des spectres, avec de grosses épaulettes ;
Par degrés, lentement, sans quitter mon chevet,
90 J'eus la sensation que le jour se levait,
Mes paupières sentaient de la clarté dans l'ombre* ;
Tout à coup, à travers mon sommeil, un bruit sombre*
Me secoua, c'était au canon ressemblant ;

---

1. *Pantomimes :* ici, simagrées.

——— **QUESTIONS** ———

● VERS 59-91. Comment est opéré, aux vers 59-60, le passage du cimetière à l'image de la mer ? — L'effet produit par les rejets et par la cascade des *et* aux vers 60-61-62. — Comment se justifie l'emploi du neutre *cela* aux vers 70-73 ? — Quel est le sens du rêve du capitaine ?

Je m'éveillai; j'avais quelque chose de blanc
95 Sur les yeux; doucement, sans choc, sans violence,
La neige nous avait tous couverts en silence
D'un suaire, et j'y fis en me dressant un trou;
Un boulet, qui nous vint je ne sais trop par où,
M'éveilla tout à fait; je lui dis : Passe au large[1]!
100 Et je criai : — « Tambour, debout! et bats la charge! »

Cent vingt têtes alors, ainsi qu'un archipel,
Sortirent de la neige; un sergent fit l'appel,
Et l'aube se montra, rouge, joyeuse et lente;
On eût cru voir sourire une bouche sanglante.
105 Je me mis à penser à ma mère; le vent
Semblait me parler bas; à la guerre souvent
Dans le lever du jour c'est la mort qui se lève.
Je songeais. Tout d'abord nous eûmes une trêve;
Les deux coups de canon n'étaient rien qu'un signal.
110 La musique parfois s'envole avant le bal
Et fait danser en l'air une ou deux notes vaines.
La nuit avait figé notre sang dans nos veines,
Mais sentir le combat venir, nous réchauffait.
L'armée allait sur nous s'appuyer en effet;
115 Nous étions les gardiens du centre, et la poignée
D'hommes sur qui la bombe, ainsi qu'une cognée,
Va s'acharner; et j'eusse aimé mieux être ailleurs.
Je mis mes gens le long du mur, en tirailleurs[2].
Et chacun se berçait de la chance peu sûre
120 D'un bon grade à travers une bonne blessure;
A la guerre on se fait tuer pour réussir.
Mon lieutenant, garçon qui sortait de Saint-Cyr[3],
Me cria : — « Le matin est une aimable chose;
Quel rayon de soleil charmant! La neige est rose!
125 Capitaine, tout brille et rit! quel frais azur!
Comme ce paysage est blanc, paisible et pur!
— Cela va devenir terrible* », répondis-je.
Et je songeais au Rhin, aux Alpes, à l'Adige,
A tous nos fiers combats sinistres* d'autrefois[4].

1. *Passe au large* : ordre par lequel on interdit à un autre navire d'accoster (expression de marins); 2. Les soldats sont placés à une certaine distance les uns des autres (voir vers 157); 3. L'École militaire spéciale, fondée en 1802, ne fut transférée qu'en 1808 à Saint-Cyr, léger anachronisme; 4. Louis Hugo s'était engagé en 1792. Allusions à la campagne du Rhin (1796), au passage du Grand-Saint-Bernard et à la campagne d'Italie.

130 Brusquement la bataille éclata. Six cents voix
    Énormes, se jetant la flamme à pleines bouches,
    S'insultèrent du haut des collines farouches*,
    Toute la plaine fut un abîme* fumant,
    Et mon tambour battait la charge éperdument.

135 Aux canons se mêlait une fanfare altière,
    Et les bombes pleuvaient sur notre cimetière
    Comme si l'on cherchait à tuer les tombeaux;
    On voyait du clocher s'envoler les corbeaux;
    Je me souviens qu'un coup d'obus troua la terre,

140 Et le mort apparut stupéfait dans sa bière,
    Comme si le tapage humain le réveillait.
    Puis un brouillard cacha le soleil. Le boulet
    Et la bombe faisaient un bruit épouvantable.
    Berthier[1], prince d'empire et vice-connétable,

145 Chargea sur notre droite un corps hanovrien
    Avec trente escadrons, et l'on ne vit plus rien
    Qu'une brume sans fond, de bombes étoilées;
    Tant toute la bataille et toute la mêlée
    Avaient dans le brouillard tragique disparu.

150 Un nuage tombé par terre, horrible, accru
    Par des vomissements immenses de fumées,
    Enfants, c'est là-dessous qu'étaient les deux armées;
    La neige en cette nuit flottait comme un duvet,
    Et l'on s'exterminait, ma foi, comme on pouvait.

155 On faisait de son mieux. Pensif, dans les décombres,
    Je voyais mes soldats rôder comme des ombres*,
    Spectres le long du mur rangés en espalier;
    Et ce champ me faisait un effet singulier,
    Des cadavres dessous et dessus des fantômes.

160 Quelques hameaux flambaient; au loin brûlaient des
    Puis la brume où du Harz[2] on entendait le cor   [chaumes.
    Trouva moyen de croître et d'épaissir encor,

---

1. Le maréchal *Berthier* (1753-1815), présent à la bataille d'Eylau, ne faisait qu'y transmettre les ordres de l'Empereur. Prince de Neuchâtel (avant d'être prince de Wagram), il avait le titre de vice-connétable dans la hiérarchie créée par l'Empereur; 2. *Le Harz* : montagne d'Allemagne où l'on situe beaucoup de légendes, en particulier celle du chasseur sauvage au cor merveilleux.

────── **QUESTIONS** ──────

● VERS 92-129. Commentez l'alliance de mots du vers 92. Relevez les antithèses dans ce passage. — Étudiez les comparaisons des vers 101, 104, 110-111. — Quel état d'esprit Hugo prête-t-il aux combattants avant la bataille?

Et nous ne vîmes plus que notre cimetière ;
A midi nous avions notre mur pour frontière ;
165 Comme par une main noire*, dans de la nuit,
Nous nous sentîmes prendre, et tout s'évanouit.
Notre église semblait un rocher dans l'écume.
La mitraille voyait fort clair dans cette brume,
Nous tenait compagnie, écrasait le chevet
170 De l'église, et la croix de pierre, et nous prouvait
Que nous n'étions pas seuls dans cette plaine obscure.
Nous avions faim, mais pas de soupe ; on se procure
Avec peine à manger dans un tel lieu. Voilà
Que la grêle de feu tout à coup redoubla.
175 La mitraille, c'est fort gênant ; c'est de la pluie,
Seulement ce qui tombe et ce qui vous ennuie,
Ce sont des grains de flamme et non des gouttes d'eau.
Des gens à qui l'on met sur les yeux un bandeau,
C'était nous. Tout croulait sous les obus, le cloître,
180 L'église et le clocher, et je voyais décroître
Les ombres* que j'avais autour de moi debout ;
Une de temps en temps tombait. — « On meurt beaucoup »,
Dit un sergent, pensif comme un loup dans un piège ;
Puis il reprit, montrant les fosses sous la neige :
185 — « Pourquoi nous donne-t-on ce champ déjà meublé ? » —
Nous luttions. C'est le sort des hommes et du blé
D'être fauchés sans voir la faulx[1]. Un petit nombre
De fantômes rôdait encor dans la pénombre ;
Mon gamin de tambour continuait son bruit :
190 Nous tirions par-dessus le mur presque détruit.
Mes enfants, vous avez un jardin ; la mitraille
Était sur nous, gardiens de cette âpre muraille,
Comme vous sur les fleurs avec votre arrosoir.

---

1. La mort est représentée comme la « Dame à la faulx » (voir « Mors » dans *les Contemplations*).

● QUESTIONS ――――――――――――――

● VERS 130-190. Pourquoi les collines sont-elles *farouches* (vers 132) ?
Commentez l'emploi que fait ici Hugo du qualificatif. Étudiez l'effet
musical des vers 130-135 et montrez avec quelle habileté Hugo a
orchestré les bruits de la bataille. Quel effet produit le brusque passage
au rythme ternaire du vers 134 ? — Commentez l'alliance de mots du
vers 137. Quel développement tire le poète de cette idée dans la suite ?
— Par quels traits Hugo accentue-t-il ici le merveilleux de la bataille ?
— Étudiez l'élargissement de la comparaison avec la mer au vers 167.

« Vous ne vous en irez qu'à six heures du soir. »
195 Je songeais, méditant tout bas cette consigne.
Des jets d'éclair mêlés à des plumes de cygne,
Des flammèches rayant dans l'ombre* les flocons,
C'est tout ce que nos yeux pouvaient voir. — « Attaquons!
Me dit le sergent. — Qui? dis-je, on ne voit personne.
200 — Mais on entend. Les voix parlent; le clairon sonne,
Partons, sortons; la mort crache sur nous ici;
Nous sommes sous la bombe et l'obus. — Restons-y. »
J'ajoutai : — « C'est sur nous que tombe la bataille.
Nous sommes le pivot de l'action. — Je bâille »,
205 Dit le sergent. — Le ciel, les champs, tout était noir*;
Mais quoiqu'en pleine nuit nous étions loin du soir[1],
Et je me répétais tout bas : Jusqu'à six heures.
— « Morbleu! nous aurons peu d'occasions meilleures
Pour avancer! » me dit mon lieutenant. Sur quoi,
210 Un boulet l'emporta. Je n'avais guère foi
Au succès; la victoire au fond n'est qu'une garce[2].
Une blême lueur, dans le brouillard éparse,
Éclairait vaguement le cimetière. Au loin
Rien de distinct, sinon que l'on avait besoin
215 De nous pour recevoir sur nos têtes les bombes.
L'empereur nous avait mis là, parmi ces tombes;
Mais, seuls, criblés d'obus et rendant coups pour coups,
Nous ne devinions pas ce qu'il faisait de nous.
Nous étions, au milieu de ce combat, la cible.
220 Tenir bon, et durer le plus longtemps possible,
Tâcher de n'être morts qu'à six heures du soir,
En attendant, tuer, c'était notre devoir.
Nous tirions au hasard. Noirs de poudre, farouches* :
Ne prenant que le temps de mordre les cartouches[3],
225 Nos soldats combattaient et tombaient, sans parler.
— « Sergent, dis-je, voit-on l'ennemi reculer?
— Non. — Que voyez-vous? — Rien. — Ni moi. — C'est
[le déluge,
Mais en feu. — Voyez-vous nos gens? — Non. Si j'en juge
Par le nombre de coups qu'à présent nous tirons,
230 Nous sommes bien quarante. » — Un grognard à chevrons[4]

---

1. *Quoique* ne porte que sur *en pleine nuit* (quoiqu'étant en pleine nuit); 2. *Garce :* ici, femme capricieuse et trompeuse; 3. Les soldats devaient alors déchirer avec leurs dents l'étui des cartouches; 4. *Chevron :* galon inversé sur le bras gauche et qui marque l'ancienneté du service.

Qui tiraillait pas loin de moi, dit : — « On est trente. »
Tout était neige et nuit; la bise pénétrante
Soufflait, et, grelottants, nous regardions pleuvoir
Un gouffre de points blancs dans un abîme* noir*.
235 La bataille pourtant semblait devenir pire.
C'est qu'un royaume était mangé par un empire![1]
On devinait derrière un voile un choc affreux*;
On eût dit des lions se dévorant entre eux;
C'était comme un combat des géants de la fable;
240 On entendait le bruit des décharges, semblable
A des écroulements énormes; les faubourgs
De la ville d'Eylau prenaient feu; les tambours
Redoublaient leur musique horrible*, et sous la nue
Six cents canons faisaient la basse continue;
245 On se massacrait; rien ne semblait décidé;
La France jouait là son plus grand coup de dé;
Le bon Dieu de là-haut était-il pour ou contre?
Quelle ombre*! et je tirais de temps en temps ma montre.
Par intervalle un cri troublait ce champ muet,
250 Et l'on voyait un corps gisant qui remuait.
Nous étions fusillés l'un après l'autre, un râle
Immense remplissait cette ombre* sépulcrale.
Les rois ont les soldats comme vous vos jouets.
Je levais mon épée, et je la secouais
255 Au-dessus de ma tête, et je criais : Courage!
J'étais sourd et j'étais ivre, tant avec rage
Les coups de foudre étaient par d'autres coups suivis;
Soudain mon bras pendit, un bras droit, et je vis
Mon épée à mes pieds, qui m'était échappée;
260 J'avais un bras cassé; je ramassai l'épée
Avec l'autre, et la pris dans ma main gauche : — « Amis!
Se faire aussi casser le bras gauche est permis! »
Criai-je, et je me mis à rire, chose utile,

---

1. Le *royaume* : la Russie (en réalité empire); l'*empire* : la France.

──── **QUESTIONS** ────

● VERS 191-257. Pourquoi le narrateur utilise-t-il la comparaison « pacifique » des vers 191-193? — Quelle est, d'après ce passage, la morale du guerrier? — Relevez des exemples de brusques passages du ton familier du soldat au ton grandiose de l'épopée : comment est opérée la conciliation entre les deux? — Pourquoi fait-il de la Russie un royaume seulement, et pourquoi attaque-t-il seulement les rois au vers 253?

Car le soldat n'est point content qu'on le mutile,
265 Et voir le chef un peu blessé ne déplaît point.
Mais quelle heure était-il? Je n'avais plus qu'un poing
Et j'en avais besoin pour lever mon épée;
Mon autre main battait mon flanc, de sang trempée,
Et je ne pouvais plus tirer ma montre. Enfin
270 Mon tambour s'arrêta : — « Drôle, as-tu peur? — J'ai
[faim »,
Me répondit l'enfant. En ce moment la plaine
Eut comme une secousse, et fut brusquement pleine
D'un cri qui jusqu'au ciel sinistre* s'éleva.
Je me sentais faiblir; tout un homme s'en va
275 Par une plaie; un bras cassé, cela ruisselle;
Causer avec quelqu'un soutient quand on chancelle;
Mon sergent me parla; je dis au hasard : Oui,
Car je ne voulais pas tomber évanoui.
Soudain le feu cessa, la nuit sembla moins noire*,
280 Et l'on criait : Victoire! et je criai : Victoire!
J'aperçus des clartés qui s'approchaient de nous.
Sanglant, sur une main et sur les deux genoux
Je me traînai; je dis : — « Voyons où nous en sommes. »
J'ajoutai : — « Debout, tous! » Et je comptai mes hommes.
285 — « Présent! dit le sergent. — Présent! » dit le gamin.
Je vis mon colonel venir, l'épée en main.
— « Par qui donc la bataille a-t-elle été gagnée?
— Par vous », dit-il. — La neige étant de sang baignée,
Il reprit : — « C'est bien vous, Hugo? c'est votre voix?
290 — Oui. — Combien de vivants êtes-vous ici? — Trois. »

—————— **QUESTIONS** ——————————

● Vers 258-290. Montrez que la blessure du capitaine, en lui interdisant de regarder l'heure, lui permet d'être d'autant plus surpris par la fin de la bataille. En quoi ce dénouement est-il pathétique? Pourquoi nous laisse-t-il pourtant sur une impression de soulagement?

■ Sur l'ensemble du poème. — Indiquez les différents moments du récit. Comment expliquez-vous la disproportion des différentes parties du texte? Essayez de faire un plan des opérations : les indications de Hugo sont-elles précises?

— Relevez les détails qui expriment la *joie* des combattants dans le texte. Quel est le rôle du petit tambour?

— Quels sont les éléments du décor? Le héros reste-t-il toujours au premier plan sur cette toile de fond? Quelles sont les métamorphoses du clocher?

— Montrez la virtuosité du poète : comment mélange-t-il les tons? Relevez des rimes acrobatiques.

Les trois pièces suivantes (VII. « 1851 - Choix entre deux passants »; VIII. « Écrit en exil »; IX. « la Colère du bronze ») flétrissent le second Empire, Napoléon le Petit et ses suppôts, dont on a voulu faire des idoles; l'attitude de protestation de l'exilé est, au contraire, exaltée.

La pièce X. « France et Ame » permet à Victor Hugo, en dénonçant l'absurdité du matérialisme et du transformisme à la mode, de rappeler le respect qu'il conserve à l'égard de la religion; elle constitue ainsi une introduction nécessaire aux pièces XI. « Dénoncé à celui qui chassa les vendeurs du temple », et XII. « les Enterrements civils », violentes attaques contre le clergé avide d'honneurs et d'argent. La guerre de 1870, avec la défaite du trop présomptueux général Ducrot (XIII. « Victorieux ou mort »), avec la trahison de Bazaine (XIV. « le Prisonnier »), avec la défaite finale, arrache au vieux poète un soupir de tristesse.

XV. APRÈS LES FOURCHES CAUDINES

Rédaction : date difficile à préciser. Hugo est rentré à Paris après l'exil. Au cours d'une promenade au bois de Boulogne, il rencontre un régiment de dragons : une angoisse morale insurmontable l'étreint à la pensée que ces superbes cavaliers qui paradent sont des vaincus. Mais le poète a transposé la scène en la situant à Rome. **Publication : 1877.**

Rome avait trop de gloire, ô dieux, vous la punîtes
Par le triomphe énorme et lâche des Samnites[1];
Et nous vîmes ce deuil, nous qui vivons encor.
Cela n'empêche pas l'aurore aux rayons d'or
5 D'éclore et d'apparaître au-dessus des collines[2].
Un champ de course est près des tombes Esquilines[3],
Et parfois, quand la foule y fourmille en tous sens,
J'y vais, l'œil vaguement fixé sur les passants.
Ce champ mène aux logis de guerre[4], où les cohortes
10 Vont et viennent ainsi que dans les villes fortes;
Avril sourit, l'oiseau chante, et, dans le lointain,
Derrière les coteaux où reluit le matin,
Où les roses des bois entr'ouvrent leurs pétales,
On entend murmurer les trompettes fatales*;

---

1. Les *Samnites* désignent ici les Allemands. Dans le défilé des *fourches Caudines*, le général samnite Pontius Herennius cerna, en 321 av. J.-C., l'armée romaine, qui dut passer sous le joug; 2. Les collines romaines sont la transposition du mont Valérien et des collines proches du bois de Boulogne; 3. Le cimetière esquilin était celui des esclaves et des pauvres; il représente ici le cimetière du mont Valérien, proche du champ de courses de Longchamp; 4. Allusion au fort du mont Valérien, qui avait joué un rôle important pendant le siège de Paris (1871).

15 Et je médite, ému. J'étais aujourd'hui là.
Je ne sais pas pourquoi le soleil se voila ;
Les nuages parfois dans le ciel se resserrent.
Tout à coup, à cheval et lance au poing, passèrent
Des vétérans aux fronts hâlés, aux larges mains ;
20 Ils avaient l'ancien air des grands soldats romains ;
Et les petits enfants accouraient pour les suivre ;
Trois cavaliers, soufflant dans des buccins¹ de cuivre,
Marchaient en tête, et, comme, au front de l'escadron,
Chacun d'eux embouchait à son tour le clairon,
25 Sans couper la fanfare ils reprenaient haleine.
Ces gens de guerre étaient superbes* dans la plaine ;
Ils marchaient de leur pas antique et souverain.
Leurs boucliers portaient des méduses d'airain,
Et l'on voyait sur eux Gorgone² et tous ses masques ;
30 Ils défilaient, dressant les cimiers de leurs casques,
Dignes d'être éclairés par des soleils levants,
Sous des crins de lion³ qui se tordaient aux vents.
Que ces hommes sont beaux ! disaient les jeunes filles.
Tout souriait, les fleurs embaumaient les charmilles,
35 Le peuple était joyeux, le ciel était doré,
Et, songeant que c'étaient des vaincus, j'ai pleuré.

---

1. *Buccin* : voir la note du vers 333 de « la Confiance du marquis Fabrice » ;
2. *Gorgone* : voir « le Satyre », note du vers 112. Des figures grimaçantes *(masques)*
de Méduse, la plus célèbre des Gorgones, étaient ciselées au centre des boucliers
pour pétrifier l'adversaire ; **3.** Les panaches. Mais les casques des dragons de 1870
étaient aussi recouverts d'une peau tigrée.

──────── **QUESTIONS** ────────

● Vers 1-17. Quel est le contraste suggéré par la description de ce décor ?
L'effet produit par l'écho vocalique des vers 4-5. Expliquez *vaguement
fixé* (vers 8) : justifiez cette attitude du poète. Quel est le changement
d'atmosphère qui se produit dans les vers 16-17 ? Qu'annonce-t-il ?

● Vers 18-36. Analysez le rythme des vers 18-19 : que traduit-il ? Pourquoi Hugo choisit-il des *vétérans ?* Quel est le jeu de mots sur *ancien ?*
La transposition est-elle parfaitement cohérente ? — Expliquez l'attitude des enfants. — Qu'est-ce qui trahit l'ironie du spectateur dans
la description de la parade ? — Quels éléments de la première partie
reprend le vers 31 ? Quelle est la signification de cette reprise ? — Le
dernier vers était-il attendu ?

■ Sur l'ensemble du poème. — Montrez avec quelle maîtrise et quelle
ingéniosité le poète a réalisé cette transposition.
— Quel est le sentiment dominant ? Hugo vous semble-t-il sincère ?
Pourquoi s'oppose-t-il à cette foule ?
— Pour quelle raison, à votre avis, Hugo a-t-il transposé la scène ?

Paysans! Paysans! hélas! vous aviez tort...

(« Jean Chouan », vers 64.)

La Rochejaquelein et Lescure à l'attaque du pont de Vrines (5 mai 1793).
Image populaire.

Mon père, ce héros au sourire si doux...

(« Après la bataille », vers 1.)

Le général Hugo (1773-1828).

C'est un pays en Prusse; un bois, des champs, de l'eau,
De la glace, et partout l'hiver et la bruine...

(« Le Cimetière d'Eylau », vers 14-15.)

Napoléon à Eylau. Détail d'un tableau de Gros.

Un crapaud regardait le ciel, bête éblouie.

(« Le Crapaud », vers 6.)

Phot. Jacques Boyer.

Le dernier poème du groupe (XVI. « Paroles dans l'épreuve ») est une pièce datant de 1855, où Hugo exalte une fois de plus son opposition à l'empereur. Son orgueil ne suffit pas à en atténuer le ton profondément désabusé.

LII. LES PAUVRES GENS

Rédaction : la première **ébauche** a été retrouvée sur un programme de concert datant du **21 août 1852** (ce qui ne signifie pas forcément que ce soit là la date de l'ébauche). Le poème a été **achevé le 3 février 1854**. Le lendemain, Hugo composa sur le même sujet « Chose vue un jour de printemps », qui prit place dans *les Contemplations*. **Publication :** 1859. **Sources :** ce morceau célèbre pose un problème d'histoire littéraire délicat. En 1851, le poète Charles **Lafont** avait été couronné aux jeux Floraux pour un récit en vers intitulé « les Enfants de la morte » (cf. Documentation thématique), inséré en 1857 dans le recueil *Légendes de la charité*. On a accusé Hugo d'avoir plagié son jeune confrère. Toutefois, malgré des ressemblances frappantes, on ne peut affirmer qu'il ait connu le texte de Lafont. Un journaliste lorrain avait en effet transformé son sujet en un fait divers, et la *Presse*, journal qu'Hugo recevait en exil, avait reproduit son article le 10 septembre 1852. Sa fin : « — Tiens, dit-elle, en tirant les rideaux du lit, les voilà! » est beaucoup plus proche du poème de Hugo que ne l'était le dernier vers de Lafont.

I

Il est nuit. La cabane est pauvre, mais bien close.
Le logis est plein d'ombre* et l'on sent quelque chose
Qui rayonne à travers ce crépuscule obscur.
Des filets de pêcheur sont accrochés au mur.
5 Au fond, dans l'encoignure où quelque humble vaisselle
Aux planches d'un bahut vaguement étincelle,
On distingue un grand lit aux longs rideaux tombants.
Tout près, un matelas s'étend sur de vieux bancs,
Et cinq petits enfants, nid d'âmes, y sommeillent.
10 La haute cheminée où quelques flammes veillent
Rougit le plafond sombre*, et, le front sur le lit,
Une femme à genoux prie, et songe, et pâlit.

C'est la mère. Elle est seule. Et dehors, blanc d'écume,
Au ciel, aux vents, aux rocs, à la nuit, à la brume,
15 Le sinistre* océan jette son noir* sanglot.

II

L'homme est en mer. Depuis l'enfance matelot,
Il livre au hasard sombre* une rude bataille.
Pluie ou bourrasque, il faut qu'il sorte, il faut qu'il aille,
Car les petits enfants ont faim. Il part le soir,
20 Quand l'eau profonde* monte aux marches du musoir[1].
Il gouverne à lui seul sa barque à quatre voiles.
La femme est au logis, cousant les vieilles toiles,
Remmaillant les filets, préparant l'hameçon,
Surveillant l'âtre où bout la soupe de poisson,
25 Puis priant Dieu sitôt que les cinq enfants dorment.
Lui, seul, battu des flots qui toujours se reforment,
Il s'en va dans l'abîme* et s'en va dans la nuit.
Dur labeur! tout est noir*, tout est froid; rien ne luit.
Dans les brisants, parmi les lames en démence,
30 L'endroit bon à la pêche, et, sur la mer immense,
Le lieu mobile, obscur, capricieux, changeant,
Où se plaît le poisson aux nageoires d'argent,
Ce n'est qu'un point; c'est grand deux fois comme la
[chambre.
Or, la nuit, dans l'ondée et la brume, en décembre,
35 Pour rencontrer ce point sur le désert mouvant,
Comme il faut calculer la marée et le vent!
Comme il faut combiner sûrement les manœuvres!
Les flots le long du bord glissent, vertes couleuvres;
Le gouffre* roule et tord ses plis démesurés,

---

1. *Musoir* : extrémité d'une digue où est creusé un escalier en forme de museau.

─────── QUESTIONS ───────

● VERS 1-15. Ce *quelque chose qui rayonne* dans le logis *plein d'ombre*
(vers 2-3) désigne-t-il seulement la lueur de la vaisselle et celle du foyer?
— Commentez l'expression *nid d'âmes* ; comparez avec « nid d'amour »,
dans le poème de Charles Lafont : lequel des deux poètes est le plus
hardi et le plus suggestif? — Quel est l'effet produit par les monosyllabes du vers 14? Y a-t-il une véritable opposition entre *blanc* (vers 13)
et *noir* (vers 15)? Étudiez la progression marquée par les verbes de
perception employés dans l'ensemble de ce passage.

40 Et fait râler d'horreur* les agrès effarés.
  Lui, songe à sa Jeannie au sein des mers glacées,
  Et Jeannie en pleurant l'appelle; et leurs pensées
  Se croisent dans la nuit, divins oiseaux du cœur.

III

  Elle prie, et la mauve[1] au cri rauque et moqueur
45 L'importune, et, parmi les écueils en décombres[2],
  L'océan l'épouvante, et toutes sortes d'ombres*
  Passent dans son esprit : la mer, les matelots
  Emportés à travers la colère des flots;
  Et dans sa gaine, ainsi que le sang dans l'artère,
50 La froide horloge bat, jetant dans le mystère,
  Goutte à goutte, le temps, saisons, printemps, hivers;
  Et chaque battement, dans l'énorme univers,
  Ouvre aux âmes, essaims d'autours[3] et de colombes,
  D'un côté les berceaux et de l'autre les tombes.

55 Elle songe, elle rêve. — Et tant de pauvreté!
  Ses petits pieds vont nus l'hiver comme l'été.
  Pas de pain de froment. On mange du pain d'orge.
  — O Dieu! le vent rugit comme un soufflet de forge,
  La côte fait le bruit d'une enclume, on croit voir
60 Les constellations fuir dans l'ouragan noir*
  Comme les tourbillons d'étincelles de l'âtre.
  C'est l'heure où, gai danseur, minuit rit et folâtre
  Sous le loup de satin[4] qu'illuminent ses yeux,
  Et c'est l'heure où minuit, brigand mystérieux,

---

1. *Mauve* : nom de la mouette dans le patois des îles anglo-normandes (vient de l'ancien mot anglais *mawe*); 2. *Les écueils en décombres* : les écueils qui ressemblent à des décombres; 3. *Autours* : oiseaux de proie qui symbolisent ici les âmes des méchants; 4. *Loup* : demi-masque de satin noir.

─────── **QUESTIONS** ───────

● Vers 16-43. Comment ce tableau se relie-t-il au précédent? — Commentez l'allitération du vers 17 et celle du vers 20 : existe-t-il un contraste significatif entre elles? — Quel est l'effet produit par la répétition de *il faut* au vers 18 et de *s'en va* au vers 27 : l'effet est-il le même dans les deux cas? — Étudiez la construction de la phrase qui commence au vers 29 et s'achève au vers 37. Quelle est la valeur de la comparaison entre le lieu de la pêche et la chambre? Comment le pêcheur et sa femme parviennent-ils à franchir les limites de leur monde *clos?* — Justifiez la comparaison du vers 38. Au vers 40, Hugo prête des sentiments aux choses : quelle est la supériorité que l'homme conserve sur elles?

65 Voilé d'ombre* et de pluie et le front dans la bise,
   Prend un pauvre marin frissonnant, et le brise
   Aux rochers monstrueux apparus brusquement. —
   Horreur*! l'homme, dont l'onde éteint le hurlement,
   Sent fondre et s'enfoncer le bâtiment qui plonge;
70 Il sent s'ouvrir sous lui l'ombre* et l'abîme*, et songe
   Au vieil anneau de fer du quai plein de soleil!

   Ces mornes visions troublent son cœur, pareil
   A la nuit. Elle tremble et pleure.

                    IV

                         O pauvres femmes
   De pêcheurs! c'est affreux* de se dire : Mes âmes,
75 Père, amant, frère, fils, tout ce que j'ai de cher,
   C'est là, dans ce chaos! mon cœur, mon sang, ma chair!
   Ciel! être en proie aux flots, c'est être en proie aux bêtes,
   Oh! songer que l'eau joue avec toutes ces têtes,
   Depuis le mousse enfant jusqu'au mari patron,
80 Et que le vent hagard*, soufflant dans son clairon,
   Dénoue au-dessus d'eux sa longue et folle tresse,
   Et que peut-être ils sont à cette heure en détresse,
   Et qu'on ne sait jamais au juste ce qu'ils font,
   Et que pour tenir tête à cette mer sans fond,
85 A tous ces gouffres* d'ombre* où ne luit nulle étoile,
   Ils n'ont qu'un bout de planche avec un bout de toile!
   Souci lugubre! on court à travers les galets,
   Le flot monte, on lui parle, on crie : Oh! rends-nous-les!

─────── **QUESTIONS** ───────

● Vers 44-73. Quelle est la transition entre la partie II et la partie III?
L'apparition de la *mauve* après l'évocation des pensées, *divins oiseaux
du cœur*, vous paraît-elle heureuse? — Le rythme des vers 44-48 : quel
est l'effet produit par la cascade des *et* et par l'abondance des rejets et
des enjambements? Étudiez le parallélisme entre les battements du
cœur et ceux de l'horloge : dans quelle intention Hugo a-t-il souligné
le contraste? — Y a-t-il une nuance entre *songe* et *rêve* au vers 55?
Pourquoi, au laconisme du vers 57, Hugo fait-il succéder une comparaison grandiose? L'observation du vers 60 est-elle juste? Quelle valeur
prend la comparaison du vers 61 : est-ce la première fois qu'un rapprochement de ce genre est fait? — Les deux personnifications de minuit
caractérisent-elles également les pensées de Jeannie? Étudiez le jeu des
accents dans les vers 68-71 : quel est le son qui domine? Quel est le
symbole contenu pour le marin dans l'*anneau de fer*?

Mais, hélas! que veut-on que dise à la pensée
90 Toujours sombre*, la mer toujours bouleversée!

Jeannie est bien plus triste* encor. Son homme est seul!
Seul dans cette âpre nuit! seul sous ce noir* linceul!
Pas d'aide. Ses enfants sont trop petits. — O mère!
Tu dis : « S'ils étaient grands! leur père est seul! » —
                                            [Chimère!
95 Plus tard, quand ils seront près du père et partis,
Tu diras en pleurant : « Oh! s'ils étaient petits! »

                         V

Elle prend sa lanterne et sa cape. — C'est l'heure
D'aller voir s'il revient, si la mer est meilleure,
S'il fait jour, si la flamme[1] est au mât du signal.
100 Allons! — Et la voilà qui part. L'air matinal
Ne souffle pas encor. Rien. Pas de ligne blanche
Dans l'espace où le flot des ténèbres* s'épanche.
Il pleut. Rien n'est plus noir* que la pluie au matin;
On dirait que le jour tremble et doute, incertain,
105 Et qu'ainsi que l'enfant l'aube pleure de naître.
Elle va. L'on ne voit luire aucune fenêtre.

Tout à coup, à ses yeux qui cherchent le chemin,
Avec je ne sais quoi de lugubre et d'humain
Une sombre* masure apparaît, décrépite;
110 Ni lumière, ni feu; la porte au vent palpite;
Sur les murs vermoulus branle un toit hasardeux*;
La bise sur ce toit tord des chaumes hideux,
Jaunes, sales, pareils aux grosses eaux d'un fleuve.

---

1. *Flamme* : banderole en pointe qu'on hisse au mât d'un navire ou d'un sémaphore et qui, selon la couleur, indique l'état de la mer et la rentrée des pêcheurs.

──────── QUESTIONS ────────

● VERS 73-96. Pourquoi le poète prend-il lui-même la parole dans l'intermède des vers 73-90? Quelle est la raison de la disjonction entre *mes âmes* (vers 74) et *mon cœur, mon sang, ma chair* (vers 76)? Qu'évoque pour vous l'image des vers 80-81? La croyez-vous futile? Quel est le tableau suggéré par les vers 87-90? — Étudiez la répétition de *seul* dans les vers 91-92 et les rimes de ces deux vers. Les vers 93-96 constituent-ils une méditation de Jeannie ou une apostrophe du poète à la femme du pêcheur?

— « Tiens ! je ne pensais plus à cette pauvre veuve,
115 Dit-elle ; mon mari, l'autre jour, la trouva
Malade et seule ; il faut voir comment elle va. »
Elle frappe à la porte, elle écoute ; personne
Ne répond. Et Jeannie au vent de mer frissonne.
— « Malade ! Et ses enfants ! comme c'est mal nourri !
120 Elle n'en a que deux, mais elle est sans mari. » —
Puis, elle frappe encore. « Hé ! voisine ! » Elle appelle.
Et la maison se tait toujours. — « Ah ! Dieu ! dit-elle,
Comme elle dort, qu'il faut l'appeler si longtemps ! » —
La porte, cette fois, comme si, par instants,
125 Les objets étaient pris d'une pitié suprême,
Morne*, tourna dans l'ombre* et s'ouvrit d'elle-même.

VI

Elle entra. Sa lanterne éclaira le dedans
Du noir* logis muet au bord des flots grondants.
L'eau tombait du plafond comme des trous d'un crible.

130 Au fond était couchée une forme terrible* ;
Une femme immobile et renversée, ayant
Les pieds nus, le regard obscur, l'air effrayant ;
Un cadavre ; — autrefois, mère joyeuse et forte ; —
Le spectre échevelé de la misère morte ;
135 Ce qui reste du pauvre après un long combat,
Elle laissait, parmi la paille du grabat,
Son bras livide* et froid et sa main déjà verte
Pendre, et l'horreur* sortait de cette bouche[1] ouverte

---

1. Une impression horrible était produite par cette bouche.

QUESTIONS

● Vers 97-126. Quels sont les éléments qui indiquent une continuité dans les vers 97 à 106 ? Comment Hugo a-t-il ménagé une transition avec les vers suivants ? — À quel vers rattachez-vous le vers 108 ? Expliquez-le. Opposez la maison de la veuve à celle de Jeannie : quelle correspondance suggère Hugo entre les maisons et ceux qui les habitent ? Relevez un grossissement épique dans la description de la masure : est-il justifié ? — Relevez des tours populaires dans les paroles que le poète prête à Jeannie. La fait-il parler de la même façon quand elle rêve ou quand elle médite ? Pourquoi cela ? — L'intervention de la porte est-elle seulement un procédé épique ? — Comment Hugo tient-il en haleine son lecteur ?

D'où l'âme en s'enfuyant[1], sinistre*, avait jeté
140 Ce grand cri de la mort qu'entend l'éternité !

Près du lit où gisait la mère de famille,
Deux tout petits enfants, le garçon et la fille,
Dans le même berceau souriaient endormis.

La mère, se sentant mourir, leur avait mis
145 Sa mante sur les pieds et sur le corps sa robe,
Afin que, dans cette ombre* où la mort nous dérobe,
Ils ne sentissent pas la tiédeur qui décroît[2],
Et pour qu'ils eussent chaud pendant qu'elle aurait froid.

VII

Comme ils dorment tous deux dans le berceau qui tremble !
150 Leur haleine est paisible et leur front calme. Il semble
Que rien n'éveillerait ces orphelins dormant,
Pas même le clairon du dernier jugement ;
Car, étant innocents, ils n'ont pas peur du juge.

Et la pluie au dehors gronde comme un déluge.
155 Du vieux toit crevassé, d'où la rafale sort,
Une goutte parfois tombe sur ce front mort,
Glisse sur cette joue et devient une larme.
La vague sonne ainsi qu'une cloche d'alarme.
La morte écoute l'ombre* avec stupidité[3]*.
160 Car le corps, quand l'esprit radieux l'a quitté,
A l'air de chercher l'âme et de rappeler l'ange[4] ;

---

1. Reprise de l'image antique de l'âme s'enfuyant par la bouche ; **2.** Que la tiédeur décroît, que le froid les gagne ; **3.** *Avec stupidité* : avec un air de stupeur ; **4.** *Esprit radieux, âme* et *ange* reprennent, sous trois formes différentes, la même idée : il y a en l'homme un élément autre que la matière animale.

━━━ QUESTIONS ━━━

● Vers 127-148. Quel est le mot qui, dans les vers 127-129, laisse présager que la mort est passée par là ? Commentez l'antithèse entre *muet* et *grondant* au vers 128 : existe-t-il un rapport entre l'Océan et la mort de la femme du pêcheur ? — Relevez des traits réalistes dans la description de la morte : nuisent-ils au pathétique ? Relevez et commentez les rejets dans les vers 130-140. A quoi correspond le changement de rythme du vers 132 ? Est-ce un vrai vers ternaire ? Comment Hugo a-t-il relevé ce tableau avec des traits épiques ? — Montrez que, malgré le caractère sournois et imprévisible de la mort (voir le vers 146), la mère a été prévoyante : qu'a voulu souligner par là le poète ? Commentez le style dans le vers 145 et l'antithèse du vers 148.

Il semble qu'on entend ce dialogue étrange
Entre la bouche pâle et l'œil triste* et hagard* :
— Qu'as-tu fait de ton souffle? — Et toi, de ton regard?

165 Hélas! aimez, vivez, cueillez les primevères,
Dansez, riez, brûlez vos cœurs, videz vos verres.
Comme au sombre* océan arrive tout ruisseau,
Le sort donne pour but au festin, au berceau,
Aux mères adorant l'enfance épanouie,
170 Aux baisers de la chair dont l'âme est éblouie*,
Aux chansons, au sourire, à l'amour frais et beau,
Le refroidissement lugubre du tombeau!

VIII

Qu'est-ce donc que Jeannie a fait chez cette morte?
Sous sa cape aux longs plis qu'est-ce donc qu'elle emporte?
175 Qu'est-ce donc que Jeannie emporte en s'en allant?
Pourquoi son cœur bat-il? Pourquoi son pas tremblant
Se hâte-t-il ainsi? D'où vient qu'en la ruelle
Elle court, sans oser regarder derrière elle?
Qu'est-ce donc qu'elle cache avec un air troublé
180 Dans l'ombre*, sur son lit? Qu'a-t-elle donc volé?

IX

Quand elle fut rentrée au logis, la falaise
Blanchissait; près du lit elle prit une chaise
Et s'assit toute pâle; on eût dit qu'elle avait
Un remords, et son front tomba sur le chevet,
185 Et, par instants, à mots entrecoupés, sa bouche

─────────── **QUESTIONS** ───────────

● Vers 149-172. Qu'est-ce qui fait trembler le berceau (vers 149)?
Qu'a de curieux la notation *d'où la rafale sort* (vers 155)? Comment
expliquez-vous que le sommeil des enfants vivants paraisse plus profond que celui de la mère morte? Tout vous semble-t-il de bon goût
dans les vers 154-164? Justifiez votre impression. — Comment est
construite la strophe lyrique des vers 165-172? Comparez avec le poème
d'inspiration voisine, dans *les Contemplations*, « On vit, on parle... ».
Quelle est l'antithèse soulignée par Hugo? Comment cette méditation
traduit-elle en termes superbes ce qui, dans les méditations de Jeannie,
restait obscur?

● Vers 173-180. Quel est l'effet produit par les multiples interrogations
et les coupes? Pourquoi Jeannie n'ose-t-elle pas regarder derrière elle?

Parlait pendant qu'au loin grondait la mer farouche*.
— « Mon pauvre homme! ah! mon Dieu! que va-t-il dire?
　　　　　　　　　　　　　　　　　　　　[Il a
Déjà tant de souci! Qu'est-ce que j'ai fait là?
Cinq enfants sur les bras! ce père qui travaille!
190 Il n'avait pas assez de peine; il faut que j'aille
Lui donner celle-là de plus. — C'est lui? — Non. Rien.
— J'ai mal fait. — S'il me bat, je dirai : Tu fais bien.
— Est-ce lui? — Non. — Tant mieux. — La porte bouge
　　　　　　　　　　　　　　　　　　　　[comme
Si l'on entrait. — Mais non. — Voilà-t-il pas, pauvre
　　　　　　　　　　　　　　　　　　　　[homme,
195 Que j'ai peur de le voir rentrer, moi, maintenant! — »
Puis elle demeura pensive et frissonnant,
S'enfonçant par degrés dans son angoisse intime,
Perdue en son souci comme dans un abîme*,
N'entendant même plus les bruits extérieurs,
200 Les cormorans qui vont comme de noirs* crieurs,
Et l'onde et la marée et le vent en colère.

La porte tout à coup s'ouvrit, bruyante et claire,
Et fit dans la cabane entrer un rayon blanc;
Et le pêcheur, traînant son filet ruisselant,
205 Joyeux, parut au seuil, et dit : C'est la marine![1]

X

— « C'est toi! » cria Jeannie, et, contre sa poitrine,
Elle prit son mari comme on prend un amant,
Et lui baisa sa veste avec emportement,
Tandis que le marin disait : — « Me voici, femme! »
210 Et montrait sur son front qu'éclairait l'âtre en flamme
Son cœur bon et content que Jeannie éclairait.

---

1. Le marin s'identifie, en manière de plaisanterie, avec tout le corps des marins.

──────── QUESTIONS ────────

● VERS 181-205. Quel est le revirement de Jeannie depuis le début du poème? A-t-elle seulement peur des coups? Quelles sont les différentes phases de son *remords*? L'explication qu'elle donne elle-même de son angoisse est-elle complète? Nuancez l'expression *les bruits extérieurs* (vers 199). Étudiez les rejets dans les vers 181-195. — Hugo avait d'abord mis les vers 202-205 au début de la partie X : pourquoi ce changement? Pourquoi la porte est-elle qualifiée de *claire*? Le *rayon blanc* est-il seulement celui de l'aube?

— « Je suis volé, dit-il; la mer c'est la forêt[1].
— Quel temps a-t-il fait? — Dur. — Et la pêche? —
[Mauvaise.

Mais, vois-tu, je t'embrasse, et me voilà bien aise.
215 Je n'ai rien pris du tout. J'ai troué mon filet.
Le diable était caché dans le vent qui soufflait.
Quelle nuit! Un moment, dans tout ce tintamarre,
J'ai cru que le bateau se couchait, et l'amarre
A cassé. Qu'as-tu fait, toi, pendant ce temps-là? »
220 Jeannie eut un frisson dans l'ombre* et se troubla.

— « Moi? dit-elle? Ah! mon Dieu! rien, comme à l'ordi-
[naire.

J'ai cousu. J'écoutais la mer comme un tonnerre,
J'avais peur. — Oui, l'hiver est dur, mais c'est égal. »
Alors, tremblante ainsi que ceux qui font le mal,
225 Elle dit : — « A propos, notre voisine est morte.
C'est hier qu'elle a dû mourir, enfin, n'importe,
Dans la soirée, après que vous fûtes partis.
Elle laisse ses deux enfants, qui sont petits.
L'un s'appelle Guillaume et l'autre Madeleine;
230 L'un qui ne marche pas, l'autre qui parle à peine.
La pauvre bonne femme était dans le besoin. »

L'homme prit un air grave*, et, jetant dans un coin
Son bonnet de forçat[2] mouillé par la tempête :
— « Diable! diable! dit-il en se grattant la tête,
235 Nous avions cinq enfants, cela va faire sept.
Déjà, dans la saison mauvaise, on se passait
De souper quelquefois. Comment allons-nous faire?
Bah! tant pis! ce n'est pas ma faute! C'est l'affaire
Du bon Dieu. Ce sont là des accidents profonds[3]*.
240 Pourquoi donc a-t-il pris leur mère à ces chiffons?
C'est gros comme le poing. Ces choses-là sont rudes.
Il faut pour les comprendre avoir fait ses études.
Si petits! on ne peut leur dire : Travaillez.
Femme, va les chercher. S'ils se sont réveillés,
245 Ils doivent avoir peur tout seuls avec la morte.
C'est la mère, vois-tu, qui frappe à notre porte;
Ouvrons aux deux enfants. Nous les mêlerons tous,

---

1. Allusion à l'expression populaire : « On est volé comme dans un bois. »;
2. Le bonnet des marins ressemble à celui des forçats; mais Hugo veut surtout
indiquer que le marin est un forçat du travail; 3. *Profonds :* qui ont un sens profond.

Cela nous grimpera le soir sur les genoux.
Ils vivront, ils seront frère et sœur des cinq autres.
250 Quand il verra qu'il faut nourrir avec les nôtres
Cette petite fille et ce petit garçon,
Le bon Dieu nous fera prendre plus de poisson.
Moi, je boirai de l'eau, je ferai double tâche,
C'est dit. Va les chercher. Mais qu'as-tu? Ça te fâche?
255 D'ordinaire, tu cours plus vite que cela.

— Tiens, dit-elle en ouvrant les rideaux, les voilà! »

LIII. LE CRAPAUD

Rédaction : 26-29 mai 1858. Publication : 1859; dans la première
série (1859), ce poème venait immédiatement après le récit « Après
la bataille » dans la partie « Maintenant »; dans l'édition « définitive », il occupe une partie entière. **Origines :** au cours des séances
de « spiritisme » de Jersey, Victor Hugo convoquait dans la table
tournante les âmes de la matière et des animaux. Leurs révélations

─────── **QUESTIONS** ───────

● Vers 206-256. Comment expliquez-vous l'élan passionné de Jeannie
vers son mari? Pourquoi se contente-t-elle pourtant de lui baiser la
veste? Le caractère du marin, dès son entrée, nous laisse-t-il des doutes
sur le dénouement? Pourquoi le poète a-t-il choisi de le faire revenir
après une mauvaise pêche? — Qu'est-ce qui traduit l'embarras de Jeannie? Pourquoi présente-t-elle à son mari la mort de la voisine comme
un simple fait divers? Comment, toutefois, trahit-elle son désir secret?
— Étudiez les réactions successives du pêcheur : pourquoi réfléchit-il
après avoir pris sa décision? — L'effet produit par le dernier vers est-il
rare chez Hugo? — Quels détails indiquent l'idée essentielle que Hugo
a voulu suggérer par ce poème? Commentez en particulier le vers 211,
les vers 238-242, les vers 252-253. Essayez de définir, à partir du vers 211,
la nuance que prend dans ce poème des humbles le merveilleux épique.

■ Sur l'ensemble des « Pauvres Gens ». — En quoi peut-on dire
que la composition de ce poème est dramatique? Quels sont les épi-
sodes que Hugo a supprimés? Pourquoi? Montrez que cette composition n'est pas seulement dramatique, mais qu'elle repose sur un usage
très subtil des *préparations*, des *contrastes*, des *transitions*, des *motifs
conducteurs*.
— Quel est le rôle de l'Océan dans ce drame?
— Classez les divers aspects de la poésie des humbles dans « les
Pauvres Gens ».
— Dégagez la philosophie et la morale de l'ensemble : quelle place
prend ce moment dans *la Légende des siècles?*
— Comparez « les Pauvres Gens » et « les Enfants de la morte » de
Charles Lafont. (Voir la Documentation thématique.)

donnèrent à tous les membres de la famille du poète et au poète lui-
même une immense pitié à l'égard des animaux : on ne manqua
pas une occasion de « sauver » les animaux les plus divers rencon-
trés au cours des promenades. Auguste Vacquerie, le frère aîné
du mari de Léopoldine, admirateur fervent — et même aveugle —
du grand homme, continua le jeu à Guernesey : en avril 1856, il
sauva un crapaud que des enfants lapidaient, le leur enleva et le
porta dans un champ, se prétendant le « grand samaritain des cra-
pauds ». C'est là, à coup sûr, le point de départ du « Crapaud »,
dont le premier titre fut « le Bon Samaritain ». Mais le poème se
rattache surtout aux rêveries métaphysiques exposées dans « Ce
que dit la bouche d'ombre » : dans les animaux les plus repous-
sants sont incarnées les âmes des coupables attendant le pardon;
nous leur devons la pitié; leur destin futur peut être sublime, et la
souffrance mérite toujours le respect.

> Que savons-nous? qui donc connaît le fond des choses?[1]
> Le couchant rayonnait dans les nuages roses;
> C'était la fin d'un jour d'orage, et l'occident
> Changeait l'ondée en flamme en son brasier ardent;
> 5 Près d'une ornière, au bord d'une flaque de pluie,
> Un crapaud regardait le ciel, bête éblouie*;
> Grave*, il songeait; l'horreur* contemplait la splendeur*.
> (Oh! pourquoi la souffrance et pourquoi la laideur?
> Hélas! le bas-empire est couvert d'Augustules[2],
> 10 Les Césars de forfaits, les crapauds de pustules,
> Comme le pré de fleurs et le ciel de soleils!)
> Les feuilles s'empourpraient dans les arbres vermeils*;
> L'eau miroitait, mêlée à l'herbe, dans l'ornière;
> Le soir se déployait ainsi qu'une bannière;
> 15 L'oiseau baissait la voix dans le jour affaibli;
> Tout s'apaisait, dans l'air, sur l'onde; et, plein d'oubli,
> Le crapaud, sans effroi, sans honte, sans colère,
> Doux, regardait la grande auréole solaire;
> Peut-être le maudit se sentait-il béni,
> 20 Pas de bête qui n'ait un reflet d'infini*;
> Pas de prunelle abjecte et vile que ne touche
> L'éclair d'en haut, parfois tendre et parfois farouche*;

---

1. Imitation du vers de Virgile, *les Géorgiques*, II, 490 : *Felix qui potuit rerum
cognoscere causas*, « Heureux celui qui a pu apprendre à connaître l'origine des
choses »; 2. Romulus *Augustulus* fut le dernier empereur d'Occident (475-476 apr.
J.-C.). Le surnom est le diminutif d'Auguste, premier et puissant empereur romain.
Hugo s'était servi de ce diminutif péjoratif dans son discours du 17 juillet 1851
prononcé pour flétrir les intrigues du prince-président Louis-Napoléon Bonaparte : « Quoi, après Auguste, Augustule! »

Pas de monstre chétif, louche, impur, chassieux,
Qui n'ait l'immensité des astres dans les yeux.
25 Un homme qui passait vit la hideuse bête,
Et, frémissant, lui mit son talon sur la tête;
C'était un prêtre[1] ayant un livre qu'il lisait;
Puis une femme, avec une fleur au corset,
Vint et lui creva l'œil du bout de son ombrelle;
30 Et le prêtre était vieux, et la femme était belle.
Vinrent quatre écoliers, sereins comme le ciel.
— J'étais enfant, j'étais petit, j'étais cruel; —
Tout homme sur la terre, où l'âme erre asservie,
Peut commencer ainsi le récit de sa vie.
35 On a le jeu, l'ivresse et l'aube dans les yeux,
On a sa mère, on est des écoliers joyeux,
De petits hommes gais, respirant l'atmosphère
A pleins poumons, aimés, libres, contents; que faire,
Sinon de torturer quelque être malheureux?
40 Le crapaud se traînait au fond du chemin creux.
C'était l'heure où des champs les profondeurs* s'azurent;
Fauve*, il cherchait la nuit; les enfants l'aperçurent
Et crièrent : — « Tuons ce vilain animal,
Et, puisqu'il est si laid, faisons-lui bien du mal! » —
45 Et chacun d'eux, riant, — l'enfant rit quand il tue, —
Se mit à le piquer d'une branche pointue,
Élargissant le trou de l'œil crevé, blessant
Les blessures, ravis, applaudis du passant;
Car les passants riaient; et l'ombre* sépulcrale[2]

---

1. Dans la parabole du *Bon Samaritain* (voir l'Introduction, page 106), Luc, X,
29-37, c'est également un prêtre qui passe le premier auprès d'un homme blessé
par les brigands, le voit et ne lui porte pas secours; 2. *L'ombre sépulcrale :* l'ombre
de la mort.

──────── **QUESTIONS** ────────

● VERS 1-24. Quel est le ton du premier vers? Quelle est son intention?
— Pourquoi Hugo a-t-il choisi la fin d'un jour d'orage et le moment
où le soleil se couche? Relevez les éléments décrivant le paysage :
comment sont-ils disséminés? quelle impression veulent-ils donner?
— Comment est présenté le crapaud? Quelle est la valeur du rejet de
bête éblouie à la fin du vers 6? Relevez et commentez les antithèses,
les paradoxes.

● VERS 25-39. Comment Hugo mêle-t-il le récit et la réflexion? Quels
sont les passants successifs qu'il a choisis? Pourquoi les a-t-il choisis?
Quel est l'intérêt du vers 30 : qu'ajoute-t-il à la cruauté de la femme
et du prêtre? D'où vient la fraîcheur du bref tableau de l'enfance
heureuse?

50 Couvrait ce noir* martyr qui n'a pas même un râle,
    Et le sang, sang affreux*, de toutes parts coulait
    Sur ce pauvre être ayant pour crime d'être laid ;
    Il fuyait ; il avait une patte arrachée ;
    Un enfant le frappait d'une pelle ébréchée ;
55 Et chaque coup faisait écumer ce proscrit
    Qui, même quand le jour sur sa tête sourit,
    Même sous le grand ciel, rampe au fond d'une cave ;
    Et les enfants disaient : « Est-il méchant ! Il bave ! »
    Son front saignait ; son œil pendait ; dans le genêt
60 Et la ronce, effroyable à voir, il cheminait ;
    On eût dit qu'il sortait de quelque affreuse* serre ;
    Oh ! la sombre* action, empirer la misère !
    Ajouter de l'horreur* à la difformité !
    Disloqué, de cailloux en cailloux cahoté,
65 Il respirait toujours ; sans abri, sans asile,
    Il rampait ; on eût dit que la mort, difficile,
    Le trouvait si hideux qu'elle le refusait ;
    Les enfants le voulaient saisir dans un lacet,
    Mais il leur échappa, glissant le long des haies ;
70 L'ornière était béante, il y traîna ses plaies
    Et s'y plongea sanglant, brisé, le crâne ouvert,
    Sentant quelque fraîcheur dans ce cloaque vert,
    Lavant la cruauté de l'homme en cette boue ;
    Et les enfants, avec le printemps sur la joue,
75 Blonds, charmants, ne s'étaient jamais tant divertis.
    Tous parlaient à la fois, et les grands aux petits
    Criaient : « Viens voir ! dis donc, Adolphe, dis donc, Pierre,
    Allons pour l'achever prendre une grosse pierre ! »
    Tous ensemble, sur l'être au hasard exécré[1],
80 Ils fixaient leurs regards, et le désespéré
    Regardait s'incliner sur lui ces fronts horribles*.
    — Hélas ! ayons des buts, mais n'ayons pas de cibles[2] ;
    Quand nous visons un point de l'horizon humain,
    Ayons la vie, et non la mort, dans notre main. —
85 Tous les yeux poursuivaient le crapaud dans la vase ;
    C'était de la fureur et c'était de l'extase ;
    Un des enfants revint, apportant un pavé,
    Pesant, mais pour le mal aisément soulevé,
    Et dit : — « Nous allons voir comment cela va faire. »

---

1. *Au hasard exécré* : qu'ils détestaient sans savoir pourquoi ; 2. Le *but* n'implique aucune idée d'hostilité ; au contraire, la *cible* est visée par une arme.

90 Or, en ce même instant, juste à ce point de terre,
   Le hasard amenait un chariot très lourd
   Traîné par un vieux âne éclopé, maigre et sourd;
   Cet âne harassé, boiteux et lamentable,
   Après un jour de marche approchait de l'étable;
95 Il roulait la charrette et portait un panier;
   Chaque pas qu'il faisait semblait l'avant-dernier;
   Cette bête marchait, battue, exténuée;
   Les coups l'enveloppaient ainsi qu'une nuée;
   Il avait dans ses yeux voilés d'une vapeur
100 Cette stupidité* qui peut-être est stupeur*;
   Et l'ornière était creuse, et si pleine de boue
   Et d'un versant si dur, que chaque tour de roue
   Était comme un lugubre et rauque arrachement;
   Et l'âne allait geignant et l'ânier blasphémant;
105 La route descendait et poussait la bourrique;
   L'âne songeait, passif, sous le fouet, sous la trique,
   Dans une profondeur* où l'homme ne va pas[1].

   Les enfants, entendant cette roue et ce pas,
   Se tournèrent bruyants et virent la charrette :
110 — « Ne mets pas le pavé sur le crapaud. Arrête! »
   Crièrent-ils. « Vois-tu, la voiture descend
   Et va passer dessus, c'est bien plus amusant. »

   Tous regardaient.

---

1. Dans la pièce de *la Légende des siècles* intitulée « Dieu invisible au philosophe », le philosophe, voyageant sur son âne, se plaint de son ignorance et de son impuissance à trouver Dieu. L'âne s'arrête, prend la parole, et lui dit : « Je le vois. »

─────── QUESTIONS ───────

● VERS 40-89. Distinguez les différentes étapes de la « lutte » des enfants contre le crapaud. Que reprochent essentiellement les enfants au crapaud? Que reproche essentiellement Hugo aux enfants? Quel rôle prête-t-il aux adultes? Comment peut-il tirer de la conduite des enfants une leçon de morale bonne pour les adultes (vers 82 et suivants)? Précisez le lien qui existe, selon Hugo, entre *beauté* et *mal* (vous comparerez avec « Eviradnus »), d'une part, *laideur* et *mal*, d'autre part. — Quel mot laisse deviner que, dans ce passage, Hugo se pose en victime comparable au crapaud? — Expliquez le vers 57. Quel terme annonce le mot d'enfant du vers 58? Étudiez le rythme et les effets musicaux des vers 59-60. Comment le rythme des vers suivants et la versification rendent-ils sensibles les tourments et la fuite du crapaud? — L'alliance de mots contenue dans les vers 72-73 : quelle idée veut-elle suggérer? — Pourquoi les fronts des enfants sont-ils maintenant qualifiés d'*horribles* (vers 81)? — L'interruption du récit aux vers 82-84 nuit-elle à l'intérêt dramatique?

Soudain, avançant dans l'ornière
Où le monstre attendait sa torture dernière,
115 L'âne vit le crapaud, et, triste*, — hélas! penché
Sur un plus triste*, — lourd, rompu, morne*, écorché,
Il sembla le flairer avec sa tête basse;
Ce forçat, ce damné, ce patient, fit grâce;
Il rassembla sa force éteinte, et, roidissant
120 Sa chaîne et son licou sur ses muscles en sang,
Résistant à l'ânier qui lui criait : Avance!
Maîtrisant du fardeau l'affreuse* connivence,
Avec sa lassitude acceptant le combat,
Tirant le chariot et soulevant le bât,
125 Hagard*, il détourna la roue inexorable,
Laissant derrière lui vivre ce misérable;
Puis, sous un coup de fouet, il reprit son chemin.

Alors, lâchant la pierre échappée à sa main,
Un des enfants — celui qui conte cette histoire, —
130 Sous la voûte infinie* à la fois bleue et noire*,
Entendit une voix qui lui disait : Sois bon!

Bonté de l'idiot! diamant[1] du charbon!
Sainte énigme! lumière auguste des ténèbres!
Les célestes n'ont rien de plus que les funèbres
135 Si les funèbres, groupe aveugle et châtié[2],
Songent, et, n'ayant pas la joie, ont la pitié.
O spectacle sacré*! l'ombre* secourant l'ombre*,
L'âme obscure venant en aide à l'âme sombre*,
Le stupide*, attendri, sur l'affreux* se penchant,

---

1. Le diamant est du carbone pur; 2. Les êtres *célestes* sont au sommet de l'échelle des êtres; les *funèbres* sont les objets ou les animaux vils qui, en bas de l'échelle, expient leurs crimes passés.

───── QUESTIONS ─────

● Vers 90-131. Dégagez les deux sentiments que le poète veut nous inspirer à l'égard de l'âne. Quelle est l'importance du détail du vers 94 *approchait de l'étable?* Relevez les adjectifs qualificatifs appliqués à l'âne : comment sont-ils groupés et répartis? — Quelle est la valeur de la cascade des *et* dans les vers 101-107? Quel vers précédent explique *l'affreuse connivence* (vers 122)? En quoi la construction de la phrase comprise dans les vers 113-127 est-elle expressive? — Quelle est la raison de la mise en valeur par la typographie des vers 108-112 et 128-131? Commentez l'emploi de l'adjectif *bruyants* (vers 109), le rejet du vers 112, l'emploi des adjectifs de couleurs au vers 130. — Relevez des traits illustrant les deux aspects de l'épopée dans ce passage : 1º le grossissement d'un fait banal; 2º l'intervention du merveilleux.

140 Le damné bon faisant rêver l'élu méchant![1]
     L'animal avançant lorsque l'homme recule!
     Dans la sérénité du pâle crépuscule,
     La brute par moments pense et sent qu'elle est sœur
     De la mystérieuse et profonde* douceur;
145 Il suffit qu'un éclair de grâce brille en elle
     Pour qu'elle soit égale à l'étoile éternelle;
     Le baudet qui rentrant le soir, surchargé, las,
     Mourant, sentant saigner ses pauvres sabots plats,
     Fait quelques pas de plus, s'écarte et se dérange
150 Pour ne pas écraser un crapaud dans la fange,
     Cet âne abject, souillé, meurtri sous le bâton,
     Est plus saint que Socrate et plus grand que Platon.
     Tu cherches, philosophe? O penseur, tu médites?
     Veux-tu trouver le vrai sous nos brumes maudites?
155 Crois, pleure, abîme-toi dans l'insondable* amour!
     Quiconque est bon voit clair dans l'obscur carrefour;
     Quiconque est bon habite un coin du ciel. O sage,
     La bonté, qui du monde éclaire le visage,
     La bonté, ce regard du matin ingénu,
160 La bonté, pur rayon qui chauffe l'inconnu,
     Instinct qui, dans la nuit et dans la souffrance, aime,
     Est le trait d'union ineffable et suprême
     Qui joint, dans l'ombre*, hélas! si lugubre souvent,
     Le grand ignorant, l'âne, à Dieu le grand savant.

---

1. Comprendre : le prétendu *damné* et le prétendu *élu*.

─────── **QUESTIONS** ───────────────

● Vers 132-164. A quel renversement des valeurs l'histoire du crapaud
a-t-elle amené Victor Hugo? Vous paraît-il toujours convaincant?
Comparez avec certaines *Fables* de La Fontaine, par exemple « le
Villageois et le Serpent » (vi, 13). Quelle est, selon Hugo, la voie qui
conduit à la vérité? — Cherchez des exemples des procédés suivants :
la répétition, l'antithèse, la variation, l'exclamation oratoire, l'interro-
gation fictive, le paradoxe. Hugo vous semble-t-il avoir voulu choquer
son lecteur?

■ Sur l'ensemble du « Crapaud ». — Peut-on comparer, pour ce
qui est de la composition, le « Crapaud » à une fable?
    — Quels sont les deux aspects de la présence de Hugo dans ce poème,
qu'elle soit explicite ou implicite? Pourquoi s'est-il ainsi mis en scène?
    — Etes-vous sensible au *pathétique* de ce poème?
    — La poésie du crépuscule dans « le Crapaud » : quels sont ses
aspects, son rôle, sa valeur?
    — Comparez « le Crapaud » de Hugo et « le Crapaud » de Jules
Renard, dans les *Histoires naturelles*.

LVII. LES PETITS

L'enfance constitue l'un des thèmes essentiels de l'œuvre de Victor Hugo. *La Légende des siècles* lui fait donc une large place : c'est Tsilla, « l'enfant blond » dans « la Conscience »; c'est un des petits-enfants du poète, avec son babil d'ange, dans « l'Idylle du vieillard ». Toutefois, les quatre morceaux groupés sous le titre « les Petits » occupent une place à part :

1° L'enfant n'est pas une figure parmi d'autres, mais la figure essentielle ou unique;

2° Replacés dans l'ensemble du recueil, ils marquent une étape importante sur la route du Progrès : l'enfant fait reculer le mal par sa seule présence et désarme par son innocence les passions déchaînées.

Ils évoquent tour à tour le rôle bienfaisant de l'enfant (I. « Guerre civile »; III. « Fonction de l'enfant »), sa sensibilité et sa tendresse (II. « Petit Paul »), sa misère (IV. « Question sociale »). Seul le premier constitue vraiment une « petite épopée ».

I. GUERRE CIVILE

Rédaction : achevée le **22 août 1876**. Cette pièce ne devait d'abord constituer que le préambule de « Fonction de l'enfant », dont elle fut finalement détachée. **Publication : 1877. Sources :** tout porte à croire que, comme le poème « Sur une barricade », composé cinq ans auparavant pour *l'Année terrible*, d'après un article du *Figaro*, « Guerre civile » a eu pour point de départ un récit réel, qui n'a pu être retrouvé.

Pour comprendre le dénouement de ce récit, inspiré par la Commune de 1871, il est important de connaître la position de l'auteur à l'égard des insurgés : après son succès aux élections de février, il s'est senti lié à la foule admiratrice; toutefois, au moment où l'insurrection menaçait, il s'est retiré à Bruxelles. Là, il apprend avec soulagement qu'il n'a pas été nommé membre de la Commune. Toutefois, il blâme les mesures militaires prises par le gouvernement contre les révoltés. Les violences et les crimes de ces derniers le navrent bientôt, et il tente de leur prouver combien ils ont tort d'appliquer la loi du talion, de répondre à l'arbitraire par l'arbitraire. L'insurrection échoue : Hugo affirme alors, devant les représailles exercées par le gouvernement, que celui-ci est plus criminel encore... Il semble qu'ici il ait voulu montrer tout ce qui restait de bonté méconnue dans l'âme de ces révoltés et plaider leur cause, tout en déplorant les violences auxquelles ils se sont livrés.

La foule était tragique et terrible; on criait :
A mort! Autour d'un homme altier, point inquiet,
Grave*, et qui paraissait lui-même inexorable,
Le peuple se pressait : A mort le misérable!
5 Et lui, semblait trouver toute simple la mort.
La partie est perdue, on n'est pas le plus fort,
On meurt, soit. Au milieu de la foule accourue,
Les vainqueurs le traînaient de chez lui dans la rue.
— A mort l'homme! — On l'avait saisi dans son logis;
10 Ses vêtements étaient de carnage rougis;
Cet homme était de ceux qui font l'aveugle[1] guerre
Des rois contre le peuple, et ne distinguent guère
Scévola de Brutus, ni Barbès de Blanqui[2];
Il avait tout le jour tué n'importe qui;
15 Incapable de craindre, incapable d'absoudre,
Il marchait, laissant voir ses mains noires* de poudre.
Une femme le prit au collet : — « A genoux!
C'est un sergent de ville. Il a tiré sur nous!
— C'est vrai, dit l'homme. — A bas! à mort! qu'on le fusille!
20 Dit le peuple. — Ici! Non! Plus loin! A la Bastille!
A l'arsenal! Allons! Viens! Marche! — Où vous voudrez »,
Dit le prisonnier. — Tous, hagards*, les rangs serrés,
Chargèrent leurs fusils. — « Mort au sergent de ville!
Tuons-le comme un loup! » — Et l'homme dit, tranquille :
25 — « C'est bien, je suis le loup, mais vous êtes les chiens.
— Il nous insulte! A mort! » — Les pâles citoyens[3]

---

1. *Aveugle* : parce que les agents de la force publique agissent sur ordre. Mais *aveugle* prend parfois un sens plus étendu chez Hugo : sombre, sinistre; 2. Parallélisme entre *Scévola* et *Barbès* d'une part, *Brutus* et *Blanqui* d'autre part, et opposition entre les deux couples de républicains. Les deux premiers furent d'ardents patriotes : *Scévola* tentait sans succès de tuer le roi étrusque Porsenna, qui faisait le siège de Rome pour y établir la monarchie des Tarquins; l'ayant manqué, il se brûla la main sur un réchaud; impressionné par son refus courageux et sa protestation farouche, Porsenna leva le siège. — *Barbès*, emprisonné au moment de la guerre de Crimée, écrivit à Napoléon III une lettre témoignant d'un patriotisme si ardent que l'empereur le gracia. Les deux autres furent des révolutionnaires acharnés et impitoyables : *Brutus* assassina César pour restaurer les libertés républicaines; *Blanqui*, membre de la Commune, était partisan du coup de force des ouvriers contre la classe bourgeoise; 3. Les citoyens pâles de frayeur.

■▶ QUESTIONS ■

● Vers 1-16. Pourquoi Hugo nous jette-t-il en pleine action sans préciser ni le moment, ni le lieu? Quelles sont les seules caractéristiques qu'il nous donne? Que traduit la répétition des mots *mort* et *mourir*? Comment le rythme crée-t-il l'atmosphère d'émeute? — Comment l'auteur nuance-t-il le jugement favorable que nous aurions pu formuler sur l'homme (vers 10-16)?

Croisaient leurs poings crispés sur le captif farouche*;
L'ombre* était sur son front et le fiel dans sa bouche;
Cent voix criaient : — « A mort! A bas! Plus d'empereur! »
30 On voyait dans ses yeux un reste de fureur
Remuer vaguement comme une hydre* échouée;
Il marchait poursuivi par l'énorme huée,
Et, calme, il enjambait, plein d'un superbe* ennui,
Des cadavres gisants, peut-être faits par lui.
35 Le peuple est effrayant lorsqu'il devient tempête;
L'homme sous plus d'affronts levait plus haut la tête;
Il était plus que pris, il était envahi.
Dieu! comme il haïssait! comme il était haï!
Comme il les eût, vainqueur, fusillés tous! — « Qu'il meure!
40 Il nous criblait encor de balles tout à l'heure!
A bas cet espion, ce traître, ce maudit!
A mort! c'est un brigand! » — Soudain on entendit
Une petite voix qui disait : — « C'est mon père! »
Et quelque chose fit l'effet d'une lumière*.
45 Un enfant apparut. Un enfant de six ans.
Ses deux bras se dressaient, suppliants, menaçants.
Tous criaient : — « Fusillez le mouchard! Qu'on l'as-
                                                    [somme! »
Et l'enfant se jeta dans les jambes de l'homme,
Et dit, ayant au front le rayon baptismal¹ :
50 — « Père, je ne veux pas qu'on te fasse de mal! »
Et cet enfant sortait de la même demeure.
Les clameurs grossissaient : — « A bas l'homme! Qu'il
                                                    [meure!
A bas, finissons-en avec cet assassin!
Mort! » — Au loin le canon répondait au tocsin.
55 Toute la rue était pleine d'hommes sinistres*.
— « A bas les rois! A bas les prêtres, les ministres,

---

1. *Baptismal* : pur et innocent comme après le baptême; l'adjectif prend d'autant plus volontiers ce sens qu'il est traditionnellement utilisé dans l'expression : « l'innocence baptismale ».

──────── QUESTIONS ────────

● Vers 17-29. Étudiez les procédés qui traduisent le tumulte et la fureur de la foule : à quoi voit-on que le vaincu domine ses ennemis?
● Vers 30-42. Quelle transformation subit ici le spectacle? Étudiez en particulier les vers 31 et 35. Expliquez l'attitude du sergent de ville dans l'expression *plein d'un superbe ennui* (vers 33). Sa réaction du vers 39 est-elle naturelle? Implique-t-elle sa condamnation dans la pensée de l'auteur? Que condamne-t-il plutôt?

Les mouchards! Tuons tout! c'est un tas de bandits! »
Et l'enfant leur cria : — « Mais puisque je vous dis
Que c'est mon père! — Il est joli, dit une femme,
60 Bel enfant! » — On voyait dans ses yeux bleus une âme;
Il était tout en pleurs, pâle, point mal vêtu.
Une autre femme dit : — « Petit, quel âge as-tu? »
Et l'enfant répondit : — « Ne tuez pas mon père! »
Quelques regards pensifs étaient fixés à terre,
65 Les poings ne tenaient plus l'homme si durement.
Un des plus furieux, entre tous inclément,
Dit à l'enfant : — « Va-t'en! — Où? — Chez toi. — Pour-
[quoi faire?
— Chez ta mère. — Sa mère est morte, dit le père.
— Il n'a donc plus que vous? — Qu'est-ce que cela fait? »
70 Dit le vaincu. Stoïque et calme, il réchauffait
Les deux petites mains dans sa rude poitrine.
Et disait à l'enfant : — « Tu sais bien, Catherine?
— Notre voisine? — Oui. Va chez elle. — Avec toi?
— J'irai plus tard. — Sans toi je ne veux pas. — Pourquoi?
75 — Parce qu'on te ferait du mal. » — Alors le père
Parla tout bas au chef de cette sombre* guerre :
— « Lâchez-moi le collet. Prenez-moi par la main,
Doucement. Je vais dire à l'enfant : A demain!
Vous me fusillerez au détour de la rue,
80 Ailleurs, où vous voudrez. » — Et, d'une voix bourrue :
— « Soit », dit le chef, lâchant le captif à moitié.
Le père dit : — « Tu vois. C'est de bonne amitié.
Je me promène avec ces messieurs. Sois bien sage,
Rentre. » — Et l'enfant tendit au père son visage,
85 Et s'en alla, content, rassuré, sans effroi.
« — Nous sommes à notre aise à présent, tuez-moi,
Dit le père aux vainqueurs; où voulez-vous que j'aille? » —

● QUESTIONS ●

● VERS 42-59. Étudiez le contraste de l'ombre et de la lumière : le *rayon baptismal* réussit-il à percer complètement? Expliquez les deux adjectifs *suppliants* et *menaçants* (vers 46). A qui s'adresse d'abord l'enfant? Pourquoi? Quelle est la valeur du trait des vers 58-59?

● VERS 59-75. Dans quel ordre se produisent les changements dans l'âme de la foule? Comment expliquez-vous l'injonction de l'homme *inclément* au vers 67? — Quelle est l'attitude du vaincu? En quoi contribue-t-elle à attendrir la foule?

● VERS 75-85. Quelle est la proposition du père? Rapprochez-la du *Va-t'en!* du vers 67.

Alors, dans cette foule où grondait la bataille,
On entendit passer un immense frisson,
90 Et le peuple cria : Rentre dans ta maison!

LVIII. VINGTIÈME SIÈCLE

PLEINE MER — PLEIN CIEL

Rédaction : la date d'achèvement du manuscrit est **9 avril 1859.**
Mais elle est suivie d'une note où le poète nous apprend que les
sept dernières strophes ont été écrites en **juin 1858.** Après une longue
interruption (voir la notice du « Sacre de la femme »), Hugo est
revenu à l'idée de ce poème, d'abord intitulé « le Navire », qui devait
opposer le navire marin, symbole de la barbarie, et le navire aérien,
symbole du progrès. **Publication : 1859.** Il constituait la conclusion
de l'histoire humaine avant le Jugement et, très tôt, Hugo avait
prévu ce mouvement final d'ascension vers le bien. **Circonstances :**
En **1853,** un ingénieur français, Brunel, avait construit, pour une
compagnie anglaise, un steamer géant portant le nom du monstre
du Livre de Job, *Léviathan.* Mais la taille et l'appétit du navire
l'empêchèrent d'atteindre le but de son voyage, l'Australie. Il dut
être remisé et resta inutilisé. « Pleine Mer », prenant pour prétexte
cette faillite, et jouant sur le nom de *Léviathan,* fait du steamer
le symbole de l'Ancien Monde qui doit être aboli pour céder la
place à l'avenir radieux. « Plein Ciel » lui oppose le triomphe du
ballon dirigeable : la tentative de l'ingénieur Pétin, en 1851, pour
mouvoir et diriger un « aéroscaphe », avait en fait échoué. Mais
l'imagination de Hugo avait été fortement ébranlée, et, plein d'espoir et d'une assurance toute prophétique, il décrit le triomphe
futur de la science et de l'esprit humain. **Sources :** avant 1859
est né un courant de poésie moderne et scientifique, dont le repré-

─────── **QUESTIONS** ───────

● Vers 86-90. La surprise finale est-elle complète? De quelle façon
la foule formule-t-elle la mise en liberté de l'homme? Pourquoi?
— Comment le vers 89 traduit-il le *frisson* de la foule? Quelle est sa
valeur épique?

■ Sur l'ensemble de « Guerre civile ». — En comparant cette version définitive à l'ébauche reproduite dans la Documentation thématique, vous étudierez :
   1º Quels détails Hugo a supprimés. Pourquoi;
   2º La transformation de l'attitude de l'enfant à l'égard de la foule;
   3º La mise en forme.
   — Cette page vous semble-t-elle trop idéaliste?

Phot. Larousse.

Le peuple est effrayant lorsqu'il devient tempête.

(« Guerre civile », vers 35.)

Barricade de la rue de Charonne, pendant la Commune (1871).

Phot. France-Reportage.

Un grand cachalot mort à carcasse de fer,
On ne sait quel cadavre à vau-l'eau dans la mer.

(« Pleine Mer », vers 15-16.)

sentant le plus caractéristique est Maxime Du Camp (*Chants modernes*, 1855). Mais Hugo confère une fois de plus une grandeur épique, qui n'appartient qu'à lui, aux thèmes médiocrement traités par ses prédécesseurs. S'il s'est souvenu du huitième chant de *la Chute d'un ange*, il a surtout développé et magnifié le tableau du Progrès déjà contenu dans le poème des *Châtiments* intitulé : « Force des choses ».

I. PLEINE MER

L'abîme*; on ne sait quoi de terrible* qui gronde;
Le vent; l'obscurité vaste comme le monde;
Partout les flots; partout où l'œil peut s'enfoncer,
La rafale qu'on voit aller, venir, passer;
5 L'onde, linceul; le ciel, ouverture de tombe;
Les ténèbres* sans l'arche et l'eau sans la colombe[1],
Les nuages ayant l'aspect d'une forêt.
Un esprit qui viendrait planer là, ne pourrait
Dire, entre l'eau sans fond et l'espace sans borne,
10 Lequel est le plus sombre*, et si cette horreur* morne*.
Faite de cécité, de stupeur* et de bruit,
Vient de l'immense mer ou de l'immense nuit.

L'œil distingue, au milieu du gouffre* où l'air sanglote
Quelque chose d'informe et de hideux qui flotte,
15 Un grand cachalot mort à carcasse de fer,
On ne sait quel cadavre à vau-l'eau dans la mer;
Œuf de titan dont l'homme aurait fait un navire.
Cela vogue, cela nage, cela chavire;
Cela fut un vaisseau; l'écume aux blancs amas
20 Cache et montre à grand bruit le tronçon de sept mâts.
Le colosse, échoué sur le ventre, fuit, plonge,
S'engloutit, reparaît, se meut comme le songe,
Chaos d'agrès rompus, de poutres, de haubans;
Le grand mât vaincu semble un spectre aux bras tombants;
25 L'onde passe à travers ce débris; l'eau s'engage
Et déferle en hurlant le long du bastingage,

---

1. Allusion à la Genèse, où Noé est sauvé du déluge par son *arche* et reçoit le rameau d'olivier apporté par la *colombe*.

──────── **QUESTIONS** ────────

● VERS 1-12. Quel est le procédé essentiel utilisé ici par Hugo pour peindre à grands traits l'Océan nocturne? Justifiez les retours *vent* (vers 2) et *rafale* (vers 4), *flots* (vers 3) et *onde* (vers 5), *gronde* (vers 1) et *bruit* (vers 11); quelle image domine l'ensemble de la description? Commentez la comparaison du vers 7.

Et tourmente des bouts de corde à des crampons
Dans le ruissellement formidable* des ponts;
La houle éperdument furieuse saccage
30 Aux deux flancs du vaisseau les cintres d'une cage[1]
Où jadis une roue effrayante a tourné.
Personne; le néant, froid, muet, étonné;
D'affreux canons rouillés tendent leurs cous funestes;
L'entrepont a des trous où se dressent les restes
35 De cinq tubes pareils à des clairons géants,
Pleins jadis d'une foudre[2], et qui, tordus, béants,
Ployés, éteints, n'ont plus, sur l'eau qui les balance,
Qu'un noir* vomissement de nuit et de silence;
Le flux et le reflux[3], comme avec un rabot,
40 Dénude à chaque coup l'étrave et l'étambot[4],
Et dans la lame on voit se débattre l'échine
D'une mystérieuse et difforme machine.
Cette masse sous l'eau rôde, fantôme obscur.
Des putréfactions fermentent, à coup sûr,
45 Dans ce vaisseau, perdu sous les vagues sans nombre;
Dessus, des tourbillons d'oiseaux de mer; dans l'ombre*,
Dessous, des millions de poissons carnassiers.
Tout à l'entour, les flots, ces liquides aciers,
Mêlent leurs tournoiements monstrueux et livides*.
50 Des espaces déserts sous des espaces vides.
O triste* mer! sépulcre où tout semble vivant!
Ces deux athlètes faits de furie et de vent,
Le tangage qui bave et le roulis qui fume,
Luttant sur ce radeau funèbre dans la brume,
55 Sans trêve, à chaque instant arrachent quelque éclat
De la quille ou du pont dans leur noir* pugilat.
Par moments, au zénith un nuage se troue,
Un peu de jour lugubre en tombe, et, sur la proue,
Une lueur qui tremble au souffle de l'autan,
60 Blême, éclaire à demi ce mot : LÉVIATHAN.
Puis l'apparition se perd dans l'eau profonde*;
Tout fuit.

---

1. Le *Léviathan* était mû par des roues à aubes, établies sur les deux côtés du navire; 2. Dans le Livre de Job (XLI), le monstre Léviathan a aussi quelque chose de guerrier : il est recouvert d'une double cuirasse (XLI, 5); son dos est formé de rangées de boucliers (7), et il crache du feu (11-13); 3. Les deux mots, compris dans un mouvement continu, n'en forment qu'un pour Hugo, qui laisse le verbe dont ils sont sujets au singulier; 4. *Etrave* : extrémité avant de la carène; *étambot* : extrémité arrière de la carène.

Léviathan; c'est là tout le vieux monde,
Apre et démesuré dans sa fauve* laideur;
Léviathan, c'est là tout le passé : grandeur,
65 Horreur*!

[Vers 65-162 : le poète décrit la splendeur et la puissance passées
du *Léviathan;* il raconte sa naissance à Londres, il énumère ses
voyages sur toutes les mers du monde. Puis, le projetant brusquement plusieurs siècles en arrière, il en fait l'instrument de toutes
les guerres imaginées par les hommes. C'est que, doué d'une âme,
ce steamer était une créature de Satan :

  Sa vie intérieure était un incendie [...]
  Et pour âme il avait dans sa cale un enfer.

Mais les écueils du temps ont fini par venir à bout de cette *Babel
des mers*.]

* * *

L'ancien monde, l'ensemble étrange et surprenant
De faits sociaux, morts et pourris maintenant,
165 D'où sortit ce navire aujourd'hui sous l'écume,
L'ancien monde aussi, lui, plongé dans l'amertume,
Avait tous les fléaux pour vents et pour typhons;
Construction d'airain aux étages profonds*,
Sur qui le mal, flot vil, crachait sa bave infâme,
170 Plein de fumée, et mû par une hydre* de flamme,
La Haine, il ressemblait à ce sombre* vaisseau.

Le mal l'avait marqué de son funèbre sceau.

Ce monde, enveloppé d'une brume éternelle,
Était fatal*; l'Espoir avait plié son aile;
175 Pas d'unité, divorce et joug; diversité
De langue, de raison, de code, de cité;
Nul lien, nul faisceau; le progrès solitaire,

──────── **QUESTIONS** ────────

● Vers 13-65. Comment Hugo a-t-il, dans cette description, mêlé le
précis à l'*imprécis*? Quel est le rôle dévolu à chacun d'entre eux? — Au
vers 17, n'attendrait-on pas l'ordre inverse pour les deux termes de la
comparaison? Quelle a été l'intention de Hugo? Quelle est la valeur
du passage au rythme ternaire du vers 18? — L'expression *tendent leurs
cous funestes* (vers 33) n'est-elle pas surprenante dans la description du
cadavre du Léviathan? Le vers 43 est-il en contradiction avec l'ensemble
de la description du bateau qui flotte encore? Quel vers précédent
permet de le justifier? Commentez, au vers 48, *les flots, ces liquides
aciers*. — Étudiez les éléments de la métaphore du *pugilat* (vers 56).
Commentez les rimes des vers 49 à 52. — Comment Hugo définit-il
son symbole? En quel sens faut-il prendre *grandeur* au vers 64?

Comme un serpent coupé, se tordait sur la terre
Sans pouvoir réunir les tronçons de l'effort;
180 L'esclavage, parquant les peuples pour la mort,
Les enfermait au fond d'un cirque de frontières
Où les gardaient la Guerre et la Nuit, bestiaires[1];
L'Adam[2] slave luttait contre l'Adam germain;
Un genre humain en France; un autre genre humain
185 En Amérique, un autre à Londre, un autre à Rome;
L'homme au delà d'un pont ne connaissait plus l'homme;
Les vivants, d'ignorance et de vices chargés,
Se traînaient; en travers de tout, les préjugés;
Les superstitions étaient d'âpres enceintes
190 Terribles* d'autant plus qu'elles étaient plus saintes;
Quel créneau soupçonneux et noir* qu'un alcoran!
Un texte avait le glaive au poing comme un tyran;
La loi d'un peuple était chez l'autre peuple crime;
Lire était un fossé, croire était un abîme[3]*;
195 Les rois étaient des tours; les dieux étaient des murs;
Nul moyen de franchir tant d'obstacles obscurs;
Sitôt qu'on voulait croître, on rencontrait la barre
D'une mode sauvage ou d'un dogme barbare;
Et, quant à l'avenir, défense d'aller là.

*
* *

200 Le vent de l'infini* sur ce monde souffla.
Il a sombré. Du fond des cieux inaccessibles,
Les vivants de l'éther, les êtres invisibles
Confusément épars sous l'obscur firmament,
A cette heure, pensifs, regardent fixement
205 Sa disparition dans la nuit redoutable.
Qu'est-ce que le simoun a fait du grain de sable?
Cela fut. C'est passé. Cela n'est plus ici.

---

1. *Bestiaire* ne semble pas avoir ici le sens de « qui combat contre les bêtes sauvages » ou « qui les dompte » (voir « le Satyre », vers 124), mais « qui les fait combattre entre elles »; 2. *Adam :* homme; 3. C'est-à-dire que les différences de langue et de religion créaient des fossés entre les peuples.

━━━ **QUESTIONS** ━━━

● Vers 163-199. Relevez des éléments parallèles entre le navire et le passé. Quel est le jeu de mots sur *amertume* (vers 166)? Quelle nuance de ton donne la reprise du sujet au vers 171? — Quelles attaques Hugo lance-t-il contre le passé? Comparez avec le mur des siècles de « La vision d'où est sorti ce livre ».

● Vers 200-207. Pourquoi le poète parle-t-il au présent?

Ce monde est mort. Mais quoi! l'homme est-il mort aussi?
Cette forme de lui disparaissant, l'a-t-elle
210 Lui-même remporté dans l'énigme éternelle?
L'océan est désert. Pas une voile au loin.
Ce n'est plus que du flot que le flot est témoin.
Pas un esquif vivant sur l'onde où la mouette
Voit du Léviathan rôder la silhouette.
215 Est-ce que l'homme, ainsi qu'un feuillage jauni,
S'en est allé dans l'ombre*? Est-ce que c'est fini?
Seul, le flux et reflux va, vient, passe et repasse.
Et l'œil, pour retrouver l'homme absent de l'espace,
Regarde en vain là-bas. Rien.

                              Regardez là-haut.

II. PLEIN CIEL

220 Loin dans les profondeurs*, hors des nuits, hors du flot,
Dans un écartement de nuages, qui laisse
Voir au-dessus des mers la céleste allégresse,
Un point vague et confus apparaît; dans le vent,
Dans l'espace, ce point se meut; il est vivant;
225 Il va, descend, remonte; il fait ce qu'il veut faire;
Il approche, il prend forme, il vient; c'est une sphère;
C'est un inexprimable et surprenant vaisseau,
Globe comme le monde, et comme l'aigle oiseau;
C'est un navire en marche. Où? Dans l'éther sublime*!
230 Rêve! on croit voir planer un morceau d'une cime :
Le haut d'une montagne a, sous l'orbe étoilé,
Pris des ailes et s'est tout à fait envolé?
Quelque heure immense[1] étant dans les destins sonnée
La nuit errante s'est en vaisseau façonnée?

---

1. *Quelque heure* dont l'importance est *immense* (voir « la Trompette du jugement », vers 95).

─────── **QUESTIONS** ───────

● VERS 208-219. Quel est le rôle de ces vers? Que pensez-vous de l'idée qu'ils supportent? Pourquoi la rime du vers 219 reste-t-elle suspendue?

■ SUR L'ENSEMBLE DE « PLEINE MER ». — Qu'est-ce qui l'emporte, à votre avis, dans cette première partie : la *vision d'un poète halluciné* ou l'*idée raidie pour les besoins du contraste*? Relevez, tant dans la pensée que dans la forme, des traits qui vous paraissent contestables.
 — Comment Hugo a-t-il réussi à concilier l'exemple réel, l'image du monstre biblique et le symbolisme personnel?

235 La Fable apparaît-elle à nos yeux décevants[1]?
    L'antique Éole a-t-il jeté son outre aux vents?
    De sorte qu'en ce gouffre* où les orages naissent,
    Les vents, subitement domptés, la reconnaissent?
    Est-ce l'aimant[2] qui s'est fait aider par l'éclair
240 Pour bâtir un esquif céleste avec de l'air?
    Du haut des clairs azurs vient-il une visite?
    Est-ce un transfiguré[3] qui part et ressuscite,
    Qui monte, délivré de la terre, emporté
    Sous un char volant fait d'extase et de clarté,
245 Et se rapproche un peu par instants pour qu'on voie,
    Du fond du monde noir*, la fuite de sa joie[4]?

    Ce n'est pas un morceau d'une cime; ce n'est
    Ni l'outre où tout le vent de la Fable tenait,
    Ni le jeu de l'éclair; ce n'est pas un fantôme
250 Venu des profondeurs* aurorales du dôme;
    Ni le rayonnant char d'un ange qui s'en va,
    Hors de quelque tombeau béant, vers Jéhovah;
    Ni rien de ce qu'en songe ou dans la fièvre on nomme.
    Qu'est-ce que ce navire impossible? C'est l'homme.

255 C'est la grande révolte[5] obéissante à Dieu!
    La sainte fausse clef du fatal* gouffre bleu!
    C'est Isis[6] qui déchire éperdument son voile!
    C'est du métal, du bois, du chanvre et de la toile,
    C'est de la pesanteur délivrée, et volant;
260 C'est la force alliée à l'homme étincelant,
    Fière, arrachant l'argile à sa chaîne éternelle;
    C'est la matière, heureuse, altière, ayant en elle
    De l'ouragan humain, et planant à travers
    L'immense étonnement des cieux enfin ouverts!

265 Audace humaine! effort du captif! sainte rage!
    Effraction enfin plus forte que la cage!

---

1. *Décevants* : trompeurs; 2. *Aimant* est ici obscur comme dans « le Satyre », vers 577. Première rédaction : *le vent*; 3. C'est-à-dire un être humain qui, brusquement, comme le Christ, passe à l'état de pur esprit. Il est vrai que, selon la métaphysique hugolienne, tout être, même le plus vil, peut être *transfiguré*; 4. Pour qu'on voie la joie qu'il éprouve à fuir; 5. *Révolte* de l'esprit humain contre la matière, qui l'accable depuis la chute, mais révolte conforme aux desseins de Dieu, qui veut le progrès de l'humanité; 6. *Isis* : déesse égyptienne, objet d'un culte où les mystères de la destinée étaient révélés à des initiés.

Que faut-il à cet être, atome au large front,
Pour vaincre ce qui n'a ni fin, ni bord, ni fond,
Pour dompter le vent, trombe, et l'écume, avalanche?
270 Dans le ciel une toile et sur mer une planche.

*
* *

Jadis des quatre vents la fureur triomphait;
De ces quatre chevaux échappés l'homme a fait
       L'attelage de son quadrige;
Génie, il les tient tous dans sa main, fier cocher
275 Du char aérien que l'éther voit marcher;
       Miracle, il gouverne un prodige.

Char merveilleux! son nom est Délivrance. Il court.
Près de lui le ramier est lent, le flocon lourd;
       Le daim, l'épervier, la panthère
280 Sont encor là, qu'au loin son ombre* a déjà fui;
Et la locomotive est reptile, et, sous lui,
       L'hydre* de flamme[1] est ver de terre.

Une musique, un chant, sort de son tourbillon.
Ses cordages vibrants et remplis d'aquilon
285   Semblent, dans le vide où tout sombre,
Une lyre à travers laquelle par moment
Passe quelque âme en fuite au fond du firmament
       Et mêlée aux souffles de l'ombre*.

Car l'air, c'est l'hymne épars; l'air, parmi les récifs
290 Des nuages roulant en groupes convulsifs,
       Jette mille voix étouffées;

---

   1. *Hydre de flamme* ne fait que reprendre *locomotive*.

● QUESTIONS ━━━━━━━━━━━━━━━━━━━

● Vers 220-270. Pourquoi Hugo reprend-il les termes *vaisseau* et *navire*
pour décrire son aéroscaphe? — En quoi peut-on justifier l'image
des vers 230-232? Quelle est la valeur de ces interrogations successives?
Étudiez la progression dans les vers 230-246. Quel sens donnez-vous à
impossible au vers 254? — L'idée contenue dans les vers 265-270 n'entre-
t-elle pas en contradiction avec les conclusions de « Pleine Mer »?
Comment expliquez-vous cette incohérence? — Cette libération est-elle
seulement une libération de l'homme? — Quels sont les procédés
rhétoriques utilisés par Hugo dans l'ensemble du passage?

Les fluides, l'azur, l'effluve[1], l'élément
Sont toute une harmonie où flottent vaguement
　　　On ne sait quels sombres* Orphées.

295 Superbe*, il plane, avec un hymne en ses agrès;
Et l'on croit voir passer la strophe du progrès.
　　　Il est la nef, il est le phare!
L'homme enfin prend son sceptre et jette son bâton[2].
Et l'on voit s'envoler le calcul de Newton
300　　　Monté sur l'ode de Pindare.

Le char haletant plonge et s'enfonce dans l'air,
Dans l'éblouissement* impénétrable et clair,
　　　Dans l'éther sans tache et sans ride;
Il se perd sous le bleu des cieux démesurés;
305 Les esprits de l'azur contemplent effarés
　　　Cet engloutissement splendide*.

Il passe, il n'est plus là; qu'est-il donc devenu?
Il est dans l'invisible, il est dans l'inconnu;
　　　Il baigne l'homme dans le songe,
310 Dans le fait, dans le vrai profond*, dans la clarté,
Dans l'océan d'en haut plein d'une vérité
　　　Dont le prêtre a fait un mensonge.

Le jour se lève, il va; le jour s'évanouit,
Il va; fait pour le jour, il accepte la nuit.
315　　　Voici l'heure des feux sans nombre;
L'heure où, vu du nadir[3], ce globe semble, ayant
Son large cône obscur sous lui se déployant,
　　　Une énorme comète d'ombre*.

La brume redoutable emplit au loin les airs.
320 Ainsi qu'au crépuscule on voit, le long des mers,
　　　Le pêcheur, vague comme un rêve,
Traînant, dernier effort d'un long jour de sueurs,
Sa nasse où les poissons font de pâles lueurs,
　　　Aller et venir sur la grève,

1. *Effluve* : mot appartenant, selon Littré, au vocabulaire du magnétisme;
2. Il jette son *bâton* de pauvre pèlerin pour prendre son *sceptre* de roi de la Création;
3. *Nadir* : point opposé au zénith par rapport à la Terre. La nuit, ce point se trouve en pleine lumière, tandis que le zénith constitue l'extrémité du cône d'ombre de l'autre hémisphère.

325 La Nuit tire du fond des gouffres* inconnus
Son filet où luit Mars, où rayonne Vénus,
            Et, pendant que les heures sonnent,
Ce filet grandit, monte, emplit le ciel des soirs,
Et dans ses mailles d'ombre* et dans ses réseaux noirs*
330   Les constellations frissonnent.

L'aéroscaphe[1] suit son chemin; il n'a peur
Ni des pièges du soir, ni de l'âcre vapeur,
            Ni du ciel morne* où rien ne bouge,
Où les éclairs, luttant au fond de l'ombre entre eux,
335 Ouvrent subitement dans le nuage affreux*
            Des cavernes de cuivre rouge.

Il invente une route obscure dans les nuits;
Le silence hideux de ces lieux inouïs*
            N'arrête point ce globe en marche;
340 Il passe, portant l'homme et l'univers en lui[2];
Paix! gloire! et, comme l'eau jadis, l'air aujourd'hui
            Au-dessus de ses flots voit l'arche.

Le saint navire court par le vent emporté
Avec la certitude et la rapidité
345   Du javelot cherchant la cible;
Rien n'en tombe, et pourtant il chemine en semant;
Sa rondeur, qu'on distingue en haut confusément,
            Semble un ventre d'oiseau terrible*.

Il vogue; les brouillards sous lui flottent dissous;
350 Ses pilotes penchés regardent, au-dessous
            Des nuages où l'ancre traîne,
Si, dans l'ombre* où la terre avec l'air se confond,
Le sommet du mont Blanc ou quelque autre bas-fond
            Ne vient pas heurter sa carène.

---

1. *Aéroscaphe :* vaisseau aérien, nom donné au premier ballon dirigeable (voir
l'Introduction, page 116); 2. Puisque l'homme contient en lui la représentation
de l'univers.

───── **QUESTIONS** ─────

● Vers 271-354. Relevez les comparaisons successives : Hugo suit-il
un ordre? Quel symbole est contenu dans chacune de ces comparaisons?
— Quelle strophe annonce la fin de la guerre? — Quel est le lien entre
cette partie et la précédente (commentez le changement de mètre)? entre
cette partie et « Pleine Mer » (commentez la reprise de l'image de l'arche
de Noé)? entre cette partie et l'ensemble de *la Légende des siècles* (commentez la réapparition du tableau du pauvre pêcheur)?

[Vers 355-454 : continuant à décrire la course prodigieuse de
l'appareil, Hugo nous le présente en détail, nous explique sa construction complexe. Le souvenir du *Léviathan*, ce « scarabée se
tordant dans le flot qui l'emporte », amène, par contraste, l'éloge
de l'aéroscaphe qui fait peur aux tempêtes. Il finit par atteindre
la région des astres qui fourmillent autour de lui.]

*
* *

455 Où donc s'arrêtera l'homme séditieux?
    L'espace voit, d'un œil par moment soucieux,
    L'empreinte du talon de l'homme dans les nues;
    Il[1] tient l'extrémité des choses inconnues;
    Il épouse l'abîme* à son argile uni;
460 Le voilà maintenant marcheur de l'infini*.
    Où s'arrêtera-t-il, le puissant réfractaire?
    Jusqu'à quelle distance ira-t-il de la terre?
    Jusqu'à quelle distance ira-t-il du destin?
    L'âpre Fatalité se perd dans le lointain;
465 Toute l'antique histoire affreuse* et déformée
    Sur l'horizon nouveau fuit comme une fumée.
    Les temps sont venus[2]. L'homme a pris possession
    De l'air, comme du flot la grèbe[3] et l'alcyon.
    Devant nos rêves fiers, devant nos utopies
470 Ayant des yeux croyants et des ailes impies[4],
    Devant tous nos efforts pensifs et haletants,
    L'obscurité sans fond fermait ses deux battants;
    Le vrai champ enfin s'offre aux puissantes algèbres;
    L'homme vainqueur, tirant le verrou des ténèbres*,
475 Dédaigne l'océan, le vieil infini* mort[5].
    La porte noire* cède et s'entre-bâille. Il sort!

O profondeurs*! faut-il encor l'appeler l'homme?

L'homme est d'abord monté sur la bête de somme;
Puis sur le chariot que portent des essieux;

---

1. *Il* : l'homme; 2. Expression biblique, annonçant l'arrivée d'une ère nouvelle; 3. Le *grèbe* (normalement masculin) construit son nid sur les étangs; l'*alcyon*,
sur la mer calme; 4. Vers obscur : sans doute faut-il comprendre que les « cher-
cheurs d'idéal » de l'Ancien Monde poursuivaient une quête juste *(yeux croyants)*,
mais que leurs procédés de recherche étaient mauvais, parfois même sacrilèges
(ailes impies) ; au contraire, l'homme des temps nouveaux a recours au seul bon
moyen, les *puissantes algèbres* (vers 473), c'est-à-dire la science; 5. L'Océan, qui,
autrefois, était considéré, par erreur, comme l'infini. Ainsi, les grands conqué-
rants, malgré leurs *yeux croyants*, ont utilisé les *ailes impies* des navires (la voile),
parce qu'ils vivaient sur une idée fausse de l'infini.

480 Puis sur la frêle barque au mât ambitieux ;
   Puis, quand il a fallu vaincre l'écueil, la lame,
   L'onde et l'ouragan, l'homme est monté sur la flamme[1] ;
   A présent l'immortel aspire à l'éternel ;
   Il montait sur la mer, il monte sur le ciel.

485 L'homme force le sphinx à lui tenir la lampe.
   Jeune, il jette le sac du vieil Adam qui rampe,
   Et part, et risque aux cieux, qu'éclaire son flambeau,
   Un pas semblable à ceux qu'on fait dans le tombeau ;
   Et peut-être voici qu'enfin la traversée
490 Effrayante, d'un astre à l'autre, est commencée !

                    *
                  * *

   Stupeur*! se pourrait-il que l'homme s'élançât ?
   O nuit ! se pourrait-il que l'homme, ancien forçat,
              Que l'esprit humain, vieux reptile,
   Devînt ange, et, brisant le carcan qui le mord,
495 Fût soudain de plain-pied avec les cieux ? La mort
              Va donc devenir inutile[2] !

   Oh ! franchir l'éther ! songe épouvantable et beau !
   Doubler le promontoire énorme du tombeau !
              Qui sait ? — Toute aile est magnanime ;
500 L'homme est ailé. Peut-être, ô merveilleux retour !
   Un Christophe Colomb de l'ombre*, quelque jour,
              Un Gama[3] du cap de l'abîme*,

   Un Jason de l'azur, depuis longtemps parti,
   De la terre oublié, par le ciel englouti,
505   Tout à coup, sur l'humaine rive,
   Reparaîtra, monté sur cet alérion[4],

---

   1. *La flamme :* la machine à vapeur ; 2. Selon les croyances auxquelles Hugo
s'est associé, l'âme subit une succession de « désincarnations » avant d'atteindre
à sa forme parfaite ; ainsi, l'âme d'un homme vertueux, par la mort, dépouille son
enveloppe humaine, pour passer dans un ange. Mais, grâce à l'invention de la
navigation aérienne, l'homme n'a plus besoin de mourir pour se trouver de plain-
pied avec les anges, dans le ciel ; 3. Vasco de Gama, le navigateur des XVᵉ-XVIᵉ siècles ;
4. *Alérion :* grand aigle, dans certains textes du Moyen Age ; le mot est passé
ensuite dans la langue du blason, pour désigner l'image stylisée de l'aigle.

QUESTIONS

● VERS 455-490. Quelles sont les nuances successives du ton prophétique dans ces vers ? Expliquez : *déformée* (vers 465), l'image du vers 486.
Commentez, du point de vue du style, le vers 484 et le rythme des
vers 485-490.

Et, montrant Sirius, Allioth, Orion,
  Tout pâle, dira : J'en arrive!

Ciel! ainsi, — comme on voit aux voûtes des celliers
510 Les noirceurs qu'en rôdant tracent les chandeliers, —
  On pourrait, sous les bleus pilastres*,
Deviner qu'un enfant de la terre a passé,
A ce que le flambeau de l'homme aurait laissé
  De fumée au plafond des astres!

     * *
     *

515 Pas si loin! pas si haut! redescendons. Restons
L'homme, restons Adam; mais non l'homme à tâtons,
Mais non l'Adam tombé! Tout autre rêve altère
L'espèce d'idéal qui convient à la terre.
Contentons-nous du mot : meilleur! écrit partout.

520 Oui, l'aube s'est levée.

    Oh! ce fut tout à coup
Comme une éruption de folie et de joie,
Quand, après six mille ans dans la fatale* voie,
Défaite brusquement par l'invisible main,
La pesanteur, liée au pied du genre humain,
525 Se brisa; cette chaîne était toutes les chaînes!
Tout s'envola dans l'homme, et les fureurs, les haines,
Les chimères, la force évanouie enfin,
L'ignorance et l'erreur, la misère et la faim,
Le droit divin des rois, les faux dieux juifs ou guèbres[1],

---

1. *Guèbres :* adeptes de la religion de Zoroastre (Zarathoustra) en Perse et en Inde.

——— QUESTIONS ———

● Vers 491-514. A quelle intention correspond le passage à la strophe?
Est-ce la même qu'au vers 271? Quelle remarque appellent les rimes
des vers 503-508? — Comment ce *songe* peut-il être à la fois *épouvantable* et *beau*? — Comment est mené dans ces quatre strophes le parallélisme entre la navigation maritime et les voyages interplanétaires? —
La comparaison contenue dans la dernière strophe est-elle seulement
grandiose?

● Vers 515-537. Quel est le nouveau mouvement qui commence ici?
Pourquoi ce changement? Hugo réussit-il à contenir son enthousiasme?
Commentez le passé simple *fut* du vers 520 : à quel moment se place
le poète? L'aviation *brise*-t-elle réellement la *chaîne* de la *pesanteur*?

530 Le mensonge, le dol, les brumes, les ténèbres*,
    Tombèrent dans la poudre[1] avec l'antique sort,
    Comme le vêtement du bagne dont on sort.
    Et c'est ainsi que l'ère annoncée est venue,
    Cette ère qu'à travers les temps, épaisse nue,
535 Thalès[2] apercevait au loin devant ses yeux,
    Et Platon, lorsque, ému, des sphères dans les cieux
    Il écoutait les chants et contemplait les danses[3].

    Les êtres inconnus et bons, les providences
    Présentes dans l'azur où l'œil ne les voit pas,
540 Les anges qui de l'homme observent tous les pas[4],
    Leur tâche sainte étant de diriger les âmes
    Et d'attiser, avec toutes les belles flammes,
    La conscience au fond des cerveaux ténébreux*,
    Ces amis des vivants, toujours penchés sur eux,
545 Ont cessé de frémir, et d'être, en la tourmente
    Et dans les sombres* nuits, la voix qui se lamente.
    Voici qu'on voit bleuir l'idéale Sion[5].
    Ils n'ont plus l'œil fixé sur l'apparition
    Du vainqueur, du soldat, du fauve* chasseur d'hommes.
550 Les vagues flamboiements épars sur les Sodomes,
    Précurseurs du grand feu dévorant, les lueurs
    Que jette le sourcil tragique des tueurs,
    Les guerres, s'arrachant avec leur griffe immonde
    Les frontières, haillon difforme du vieux monde,
555 Les battements de cœur des mères aux abois,
    L'embuscade ou le vol guettant au fond des bois,
    Le cri de la chouette[6] et de la sentinelle,
    Les fléaux, ne sont plus leur alarme éternelle.
    Le deuil n'est plus mêlé dans tout ce qu'on entend;
560 Leur oreille n'est plus tendue à chaque instant
    Vers le gémissement indigné de la tombe;
    La moisson rit aux champs où râlait l'hécatombe;
    L'azur ne les voit plus pleurer les nouveau-nés,

---

1. *Poudre* : poussière (sens classique); 2. *Thalès* « soutenait que le monde avait une âme et qu'il était tout rempli d'esprits » (*Dictionnaire* de Moreri). On comprend que, partant d'une définition aussi vague de la philosophie de Thalès, Hugo puisse l'assimiler à la sienne propre; 3. Allusion à la théorie de la musique des sphères; 4. La théorie spirite des anges-providences est ici proche du dogme chrétien des anges gardiens; 5. *L'idéale Sion* : la Jérusalem céleste, qui devient ici le symbole de l'humanité régénérée et bienheureuse; 6. *Le cri de la chouette* : signal d'attaque dans une embuscade.

Dans tous les innocents pressentir des damnés,
565 Et la pitié n'est plus leur unique attitude;
Ils ne regardent plus la morne* servitude
Tresser sa maille obscure à l'osier des berceaux.
L'homme aux fers, pénétré du frisson des roseaux[1],
Est remplacé par l'homme attendri, fort et calme,
570 La fonction du sceptre est faite par la palme[2];
Voici qu'enfin, ô gloire! exaucés dans leur vœu,
Ces êtres, dieux pour nous, créatures pour Dieu,
Sont heureux, l'homme est bon, et sont fiers, l'homme est
[juste.

Les esprits purs, essaim de l'empyrée auguste,
575 Devant ce globe obscur qui devient lumineux,
Ne sentent plus saigner l'amour qu'ils ont en eux;
Une clarté paraît dans leur beau regard sombre*;
Et l'archange commence à sourire dans l'ombre*.

*
* *

Où va-t-il, ce navire? Il va, de jour vêtu,
580 A l'avenir divin et pur, à la vertu,
    A la science qu'on voit luire,
A la mort des fléaux, à l'oubli généreux,
A l'abondance, au calme, au rire, à l'homme heureux!
    Il va, ce glorieux navire,

585 Au droit, à la raison, à la fraternité,
A la religieuse et sainte vérité
    Sans impostures et sans voiles,
A l'amour, sur les cœurs serrant son doux lien,
Au juste, au grand, au bon, au beau... — Vous voyez bien
590   Qu'en effet il monte aux étoiles!

---

1. L'homme primitif est, selon la philosophie hugolienne, mal dégagé de la matière et de la vie végétale (voir « le Satyre », vers 429). Mais à cette idée s'ajoute ici le symbolisme traditionnel du *roseau* courbé et frissonnant; 2. Au gouvernement des puissants *(le sceptre)* succède celui des justes *(la palme)*.

■ QUESTIONS

● VERS 538-578. Donnez un titre à ce fragment. — Quels sont les deux principaux fléaux dont l'homme se trouve débarrassé? — Établissez une comparaison entre l'homme régénéré (vers 569) et Adam dans « le Sacre de la femme ». Comparez les épithètes qui leur sont appliquées : quelle conclusion en tirez-vous sur l'idée d'ensemble et la composition de *la Légende des siècles?*

Il porte l'homme à l'homme, et l'esprit à l'esprit.
Il civilise. O gloire! Il ruine, il flétrit
      Tout l'affreux* passé qui s'effare;
Il abolit la loi de fer, la loi de sang,
595 Les glaives, les carcans, l'esclavage, en passant
      Dans les cieux comme une fanfare.

Il ramène au vrai ceux que le faux repoussa;
Il fait briller la foi dans l'œil de Spinosa[1]
      Et l'espoir sur le front de Hobbe[2];
600 Il plane, rassurant, réchauffant, épanchant
Sur ce qui fut lugubre et ce qui fut méchant
      Toute la clémence de l'aube.

Les vieux champs de bataille étaient là dans la nuit;
Il passe, et maintenant voilà le jour qui luit
605   Sur ces grands charniers de l'histoire
Où les siècles, penchant leur œil triste* et profond*,
Venaient regarder l'ombre* effroyable que font
      Les deux ailes de la Victoire.

Derrière lui, César redevient homme; Éden
610 S'élargit sur l'Érèbe[3], épanoui soudain;
      Les ronces de lys sont couvertes;
Tout revient, tout renaît; ce que la mort courbait
Refleurit dans la vie, et le bois du gibet[4]
      Jette, effrayé, des branches vertes.

615 Le nuage, l'aurore aux candides* fraîcheurs,
L'aile de la colombe, et toutes les blancheurs,
      Composent là-haut sa magie;
Derrière lui, pendant qu'il fuit vers la clarté,
Dans l'antique noirceur de la fatalité
620   Des lueurs de l'enfer rougie,

Dans ce brumeux chaos qui fut le monde ancien,
Où l'allah turc s'accoude au sphinx égyptien,

---

1. *Spinoza*, se détachant de la religion juive, a bâti son système philosophique sans s'y référer; 2. *Hobbes* (1588-1679) a développé, dans son *Léviathan*, les éléments d'une philosophie matérialiste et pessimiste; 3. L'enfer *(l'Erèbe)* se transforme au point d'être absorbé dans le paradis *(Eden)*; 4. Le *gibet* est, selon la philosophie hugolienne, l'une des prisons où l'âme punie est enfermée.

Dans la séculaire géhenne[1],
Dans la Gomorrhe infâme où flambe un lac fumant[2],
625 Dans la forêt du mal qu'éclairent vaguement
Les deux yeux fixes de la Haine,

Tombent, sèchent, ainsi que des feuillages morts,
Et s'en vont la douleur, le péché, le remords,
La perversité lamentable[3],
630 Tout l'ancien joug, de rêve[4] et de crime forgé,
Nemrod[5], Aaron[6], la guerre avec le préjugé,
La boucherie avec l'étable !

Tous les spoliateurs et tous les corrupteurs
S'en vont ; et les faux jours sur les fausses hauteurs[7] ;
635 Et le taureau d'airain qui beugle[8],
La hache, le billot, le bûcher dévorant ;
Et le docteur versant l'erreur à l'ignorant,
Vil bâton qui trompait l'aveugle !

Et tous ceux qui faisaient, au lieu de repentirs,
640 Un rire au prince avec les larmes des martyrs,
Et tous ces flatteurs des épées
Qui louaient le sultan, le maître universel,
Et, pour assaisonner l'hymne, prenaient du sel
Dans le sac aux têtes coupées !

645 Les pestes, les forfaits, les cimiers fulgurants,
S'effacent, et la route où marchaient les tyrans,
Bélial[9] roi, Dagon[10] ministre,
Et l'épine, et la haie horrible* du chemin
Où l'homme, du vieux monde et du vieux vice humain
650 Entend bêler le bouc sinistre*.

---

1. Il faut sans doute comprendre : « dans l'enfer des siècles passés »; 2. « Yahvé
fit pleuvoir sur Sodome et sur Gomorrhe du soufre et du feu venant de Yahvé »
(Genèse, XIX, 24); 3. *Lamentable* : sur laquelle il convient de se lamenter; 4. *Rêve* :
chimères. Il s'agit surtout des mythes inventés, selon Hugo, par certains individus
soucieux de s'acquérir la domination sur les peuples; 5. *Nemrod* (voir « La vision
d'où est sorti ce livre » (tome premier, vers 71). Il est pris ici comme le type du
guerrier; 6. *Aaron* : frère aîné de Moïse; le peuple juif, s'étonnant du retard de
Moïse à descendre du Sinaï, s'attroupa autour d'Aaron pour lui demander de faire
un dieu. Aaron demanda aux suppliants de donner tout l'or qu'ils avaient, et en
fit faire la statue du « veau d'or », devant laquelle ils vinrent se prosterner (Exode,
XXXII); 7. Les fausses clartés des fausses philosophies; 8. Phalaris, tyran d'Agri-
gente de 565 à 549 av. J.-C., enfermait ses victimes dans un *taureau d'airain*, où il
les faisait brûler. Il *beugle* parce que les cris des suppliciés s'en échappent; 9. *Bélial* :
nom que donne saint Paul à Satan; 10. *Dagon* : idole des Philistins.

On voit luire partout les esprits sidéraux ;
On voit la fin du monstre et la fin du héros,
    Et de l'athée et de l'augure,
La fin du conquérant, la fin du paria ;
655 Et l'on voit lentement sortir Beccaria[1]
    De Dracon[2] qui se transfigure.

On voit l'agneau sortir du dragon fabuleux,
La vierge de l'opprobre, et Marie aux yeux bleus
    De la Vénus prostituée ;
660 Le blasphème devient le psaume ardent et pur,
L'hymne prend, pour s'en faire autant d'ailes d'azur,
    Tous les haillons de la huée.

Tout est sauvé ! La fleur, le printemps aromal[3],
L'éclosion du bien, l'écroulement du mal,
665   Fêtent dans sa course enchantée
Ce beau globe éclaireur, ce grand char curieux,
Qu'Empédocle[4], du fond des gouffres*, suit des yeux,
    Et, du haut des monts, Prométhée !

Le jour s'est fait dans l'antre où l'horreur* s'accroupit.
670 En expirant, l'antique univers décrépit,
    Larve à la prunelle ternie,
Gisant, et regardant le ciel noir* s'étoiler,
A laissé cette sphère heureuse s'envoler
    Des lèvres de son agonie.

---

1. Le juriste italien du xviiie siècle *Beccaria* invoque contre la sévérité de la tradition la raison et le sentiment, afin d'ébaucher un système pénal plus équitable ; 2. *Dracon :* voir « le Satyre », note du vers 489 ; 3. *Aromal :* adjectif créé par le philosophe Fourier, chez qui les « aromes » désignent les corps impondérables dont est composée la nature ; *printemps aromal* signifierait alors « printemps qui porte en lui l'essence de tous les êtres ». Mais l'adjectif peut tout aussi bien se contenter de renouveler l'expression de « printemps embaumé » ; 4. *Empédocle :* philosophe grec du ve siècle av. J.-C., qui se jeta dans l'Etna.

■ **QUESTIONS** ━━━━━━━━━━━━━━━━

● Vers 579-674. Quel est le thème essentiel développé dans ce passage ? Comment vient-il se greffer sur celui du voyage aérien ? De quelle façon, selon Hugo, le mal sera-t-il résorbé ? Quelles sont, selon lui, les deux formes essentielles qu'il a revêtues dans l'histoire humaine des siècles passés ? — Montrez la valeur expressive de l'allitération dans les vers 579-580. Expliquez *effrayé* (vers 614), *composent* (vers 617). Quel est le jeu des couleurs dans la strophe des vers 615-620 : expliquez *candides ;* la contradiction apparente entre les vers 619-620 (relevez dans la fin d' « Eviradnus » une alliance analogue du rouge et du noir). — Relevez les éléments du parallélisme établi à partir du vers 630 : comment est-il construit ? Hugo obéit-il servilement aux lois de la symétrie ? — Quel est l'effet musical dans les vers 661-662 ?

*
* *

675 Oh! ce navire fait le voyage sacré*!
C'est l'ascension bleue[1] à son premier degré;
  Hors de l'antique et vil décembre,
Hors de la pesanteur, c'est l'avenir fondé;
C'est le destin de l'homme à la fin évadé,
680   Qui lève l'ancre et sort de l'ombre*!

Ce navire là-haut conclut le grand hymen.
Il mêle presque à Dieu l'âme du genre humain.
  Il voit l'insondable, il y touche;
Il est le vaste élan du progrès vers le ciel;
685 Il est l'entrée altière et sainte du réel
  Dans l'antique idéal farouche*.

Oh! chacun de ses pas conquiert l'illimité!
Il est la joie; il est la paix; l'humanité
  A trouvé son organe immense;
690 Il vogue, usurpateur sacré*, vainqueur béni,
Reculant chaque jour plus loin dans l'infini*
  Le point sombre* où l'homme commence.

Il laboure l'abîme*; il ouvre ces sillons
Où croissaient l'ouragan, l'hiver, les tourbillons,
695   Les sifflements et les huées;
Grâce à lui, la concorde est la gerbe des cieux;
Il va, fécondateur du ciel mystérieux,
  Charrue auguste des nuées.

Il fait germer la vie humaine dans ces champs
700 Où Dieu n'avait encor semé que des couchants
  Et moissonné que des aurores;
Il entend, sous son vol qui fend les airs sereins,
Croître et frémir partout les peuples souverains,
  Ces immenses épis sonores!

705 Nef magique et suprême! elle a, rien qu'en marchant,
Changé le cri terrestre en pur et joyeux chant,
  Rajeuni les races flétries,

---

1. *Ascension bleue* : ascension dans l'azur, sans doute, mais l'idée de couleur
est moins importante ici que l'idée de lumière et d'espoir.

Établi l'ordre vrai, montré le chemin sûr,
Dieu juste! et fait entrer dans l'homme tant d'azur
710   Qu'elle a supprimé les patries!

Faisant à l'homme avec le ciel une cité,
Une pensée avec toute l'immensité,
          Elle abolit les vieilles règles;
Elle abaisse les monts, elle annule les tours;
715 Splendide*, elle introduit les peuples, marcheurs lourds
          Dans la communion des aigles.

Elle a cette divine et chaste fonction
De composer là-haut l'unique nation,
          A la fois dernière et première,
720 De promener l'essor dans le rayonnement,
Et de faire planer, ivre de firmament
          La liberté dans la lumière*.

───────── **QUESTIONS** ─────────

● VERS 675-722. Montrez que les thèmes essentiels du poème sont réunis dans cette conclusion. Quelle idée finale leur confère leur unité? Qu'ajoute à l'ensemble du poème l'idée suggérée par le vers 719? Pourquoi Hugo insiste-t-il tant sur les conséquences politiques du progrès humain? — Le lyrisme dans cette conclusion : relevez les images et commentez leur succession. Quelle importance prend le retour de l'image de la gerbe et de la moisson? En partant précisément de l'exemple des vers 693-704, montrez comment naît, se développe et meurt — temporairement — une image hugolienne.

■ SUR L'ENSEMBLE DE « PLEIN CIEL ». — Les différents mouvements du poème : en quoi peut-on dire qu'il se déroule « à tire-d'ailes »?

— Hugo vous semble-t-il avoir été un bon ou un mauvais prophète? Quelles sont ses incohérences? Quelles sont ses illusions?

— Étudiez la transformation d'un *spectacle imaginaire* en *images* et de ces *images* en *symboles*.

— Hugo vous semble-t-il avoir, dans ce poème, « changé le cri terrestre en pur et joyeux chant » (vers 706)? Faites un tableau en deux colonnes : dans l'une, vous énumérerez en les classant les procédés traditionnels, dans l'autre les procédés nouveaux, personnels, annonçant même parfois la poésie future. De la même façon, vous classerez en deux colonnes les aspects qui vous semblent caducs et ceux qui vous semblent solides dans « Plein Ciel ».

— Comparez « Pleine Mer-Plein Ciel » et « le Satyre » : 1º le message; 2º la puissance poétique.

— « La Vision d'où est sorti ce livre », « le Satyre » et « Pleine Mer-Plein Ciel » sont-ils susceptibles d'assurer l'unité profonde de *la Légende des siècles?*

LX. HORS DES TEMPS

LA TROMPETTE DU JUGEMENT

Rédaction : le manuscrit est daté du **15 mai 1859. Publication** : c'était le poème final de la première série de **1859. Sources** : l'Apocalypse de saint Jean. Hugo, sur son île d'exil, devenue un peu Patmos, retrouvait l'inspiration apocalyptique de « la Fin de Satan », plus dépouillée toutefois. En 1859, le Jugement dernier lui apparaissait comme le couronnement de toute l'histoire de l'humanité et le thème était cher à son âme de grand justicier.

Les seize derniers vers ont été écrits les premiers. C'est à partir de l'instant pathétique où l'ange va saisir la trompette que l'imagination du poète est remontée à la vision hallucinée de la trompette elle-même.

Je vis[1] dans la nuée un clairon monstrueux.

Et ce clairon semblait, au seuil profond* des cieux,
Calme, attendre le souffle immense de l'archange.

Ce qui jamais ne meurt, ce qui jamais ne change,
5 L'entourait. A travers un frisson, on sentait
Que ce buccin fatal*, qui rêve et qui se tait,
Quelque part, dans l'endroit où l'on crée, où l'on sème,
Avait été forgé par quelqu'un de suprême
Avec de l'équité condensée en airain.
10 Il était là, lugubre, effroyable, serein.
Il gisait sur la brume insondable* qui tremble,
Hors du monde, au delà de tout ce qui ressemble
A la forme de quoi que ce soit.

Il vivait.

Il semblait un réveil songeant près d'un chevet.

15 Oh! quelle nuit! là, rien n'a de contour ni d'âge;
Et le nuage est spectre, et le spectre est nuage.

*
* *

Et c'était le clairon de l'abîme*.

Une voix
Un jour en sortira qu'on entendra sept fois[2].

---

1. *Je vis* : formule qui introduit chacune des visions de l'Apocalypse; **2.** Le chiffre *sept* joue un grand rôle dans l'Apocalypse.

En attendant, glacé, mais écoutant, il pense ;
20 Couvant le châtiment, couvant la récompense ;
Et toute l'épouvante éparse au ciel est sœur
De cet impénétrable et morne* avertisseur.

Je le considérais dans les vapeurs funèbres
Comme on verrait se taire un coq dans les ténèbres.
25 Pas un murmure autour du clairon souverain.
Et la terre sentait le froid de son airain,
Quoique, là, d'aucun monde on ne vît les frontières.

Et l'immobilité de tous les cimetières,
Et le sommeil de tous les tombeaux, et la paix
30 De tous les morts couchés dans la fosse, étaient faits
Du silence inouï¹* qu'il avait dans la bouche ;
Ce lourd silence était pour l'affreux mort farouche*
L'impossibilité de faire faire un pli
Au suaire cousu sur son front par l'oubli.
35 Ce silence tenait en suspens l'anathème² :
On comprenait que tant que ce clairon suprême
Se tairait, le sépulcre, obscur, roidi, béant,
Garderait l'attitude horrible* du néant,
Que la momie aurait toujours sa bandelette,
40 Que l'homme irait tombant du cadavre au squelette,
Et que ce fier banquet radieux, ce festin
Que les vivants gloutons appellent le destin,
Toute la joie errante en tourbillons de fêtes,
Toutes les passions de la chair satisfaites,
45 Gloire, orgueil, les héros ivres, les tyrans soûls,
Continueraient d'avoir pour but et pour dessous
La pourriture, orgie offerte aux vers convives ;

---

1. *Inouï*, tout en gardant ici son sens étymologique, pour créer l'alliance de mots, prend un sens plus large : « extraordinaire, prodigieux » ; **2.** *L'anathème.* Il ne faut sans doute pas entendre par là la malédiction que les morts révoltés voudraient lancer contre Dieu (l'idée n'est pas hugolienne), mais la malédiction qui sera lancée contre les méchants lors du jugement final. C'est ainsi que, dans l'*Apocalypse*, le châtiment annoncé reste suspendu jusqu'à ce que la septième trompette ait sonné.

● **QUESTIONS** ────────────────

● Vers 1-16. Montrez que, dès ces premiers vers, est mise en lumière la double valeur de la trompette : c'est une *loi* (expliquez le vers 9 ; quel est le rapport possible entre l'*équité* et l'*airain* ?) et un *signal*. Comment, et pourquoi, ce clairon s'oppose-t-il à tout ce qui l'entoure dans l'éternité ? Existe-t-il une contradiction entre *Il gisait* (vers 11) et *Il vivait* (vers 13) ? En quoi le vers 16 corrige-t-il le vers 1 ?

Mais qu'à l'heure où soudain, dans l'espace sans rives,
Cette trompette vaste et sombre* sonnerait,
50 On verrait, comme un tas d'oiseaux[1] d'une forêt,
Toutes les âmes, cygne, aigle, éperviers, colombes,
Frémissantes, sortir du tremblement des tombes,
Et tous les spectres faire un bruit de grandes eaux[2],
Et se dresser, et prendre à la hâte leurs os,
55 Tandis qu'au fond, au fond du gouffre, au fond du rêve,
Blanchissant l'absolu, comme un jour qui se lève,
Le front mystérieux du juge apparaîtrait[3].

*
* *

Ce clairon avait l'air de savoir le secret[4].

On sentait que le râle énorme de ce cuivre
60 Serait tel qu'il ferait bondir, vibrer, revivre
L'ombre, le plomb, le marbre, et qu'à ce fatal* glas,
Toutes les surdités voleraient en éclats;
Que l'oubli sombre*, avec sa perte de mémoire,
Se lèverait au son de la trompette noire*;
65 Que dans cette clameur étrange, en même temps
Qu'on entendrait frémir tous les cieux palpitants,
On entendrait crier toutes les consciences;
Que le sceptique au fond de ses insouciances,
Que le voluptueux, l'athée et le douteur,
70 Et le maître tombé de toute sa hauteur,

---

1. Reprise d'une image de l'Apocalypse (XIX, 17), mais transformée : l'Ange rassemblait bien une foule d'oiseaux, mais pour dévorer la chair des puissants et « de toutes gens »; 2. Image empruntée à l'Apocalypse (I, 15; XIX, 6); 3. La résurrection des morts précède bien, dans l'Évangile, le Jugement dernier; 4. *Le secret* : tout ce qui est secret pour l'homme.

— QUESTIONS —

● Vers 17-57. Quel symbole le poète tire-t-il de la froideur de l'airain dont est fait le clairon? Expliquez le vers 24, ainsi que l'opposition entre le vers 26 et le vers 27. — Expliquez *étaient faits* (vers 30). L'immobilité des morts (vers 33) est-elle seulement physique? Quelle est la double application de l'image du *banquet* dans les vers 41 à 47? Pourquoi, au vers 49, le poète insiste-t-il maintenant non plus sur la froideur, mais sur le caractère sombre du clairon? Expliquez *tremblement des tombes* (vers 52), *Blanchissant l'absolu* (vers 56). — Étudiez la progression du souffle épique dans les vers 28-57. Quel est l'effet du rythme irrégulier des vers 28-31? du rejet du vers 37? du retour des rimes des vers 39-40 aux vers 43-44? du passage de l'abstrait au concret du vers 45? de la construction complexe de la phrase des vers 48-57? du retour des rimes des vers 49-50 au vers 57?

Sentiraient ce fracas traverser leurs vertèbres ;
Que ce déchirement céleste des ténèbres
Ferait dresser quiconque est soumis à l'arrêt ;
Que qui n'entendit pas le remords, l'entendrait ;
75 Et qu'il réveillerait, comme un choc à la porte,
L'oreille la plus dure et l'âme la plus morte,
Même ceux qui, livrés au rire, aux vains combats,
Aux vils plaisirs, n'ont point tenu compte ici-bas
Des avertissements de l'ombre* et du mystère,
80 Même ceux que n'a point réveillés sur la terre
Le tonnerre, ce coup de cloche de la nuit !

Oh ! dans l'esprit de l'homme où tout vacille et fuit,
Où le verbe n'a pas un mot qui ne bégaie,
Où l'aurore apparaît, hélas ! comme une plaie,
85 Dans cet esprit, tremblant dès qu'il ose augurer,
Oh ! comment concevoir, comment se figurer
Cette vibration communiquée aux tombes,
Cette sommation aux blêmes catacombes
Du ciel ouvrant sa porte et du gouffre ayant faim,
90 Le prodigieux bruit de Dieu disant : Enfin !

Oui, c'est vrai, — c'est du moins jusque-là que l'œil
[plonge, —
C'est l'avenir, — du moins tel qu'on le voit en songe ; —
Quand le monde atteindra son but, quand les instants,
Les jours, les mois, les ans, auront rempli le temps,
95 Quand tombera du ciel l'heure immense et nocturne,
Cette goutte qui doit faire déborder l'urne,

───── ● QUESTIONS ─────

● VERS 58-81. Quelle est l'allitération dominante dans les vers 59-62 ? Étudiez le jeu des accents et des *i* dans le vers 60. Quelle est la hardiesse de l'expression et de l'image dans le vers 62 ? Que pensez-vous de la seconde partie du vers 63, du parallélisme *oubli sombre* [...] *trompette noire* dans les vers 63-64 ? — Distinguez les trois éléments du bruit complexe qui éclatera. Quels seront ses effets ?

● VERS 82-90. Les vers 83-84 sont obscurs : comment les comprenez-vous ? S'agit-il du *verbe* divin ou de la parole humaine ? L'*aurore* est-elle la vision propre au poète-mage de l'avenir détesté des autres hommes (thème romantique tel qu'il apparaît dans « Mélancholia » des *Contemplations*, vers 61-112) ou le pressentiment qui est donné à chaque homme de son sort futur ? — Comment construisez-vous le vers 89 dans l'ensemble de la phrase ? Pourquoi Dieu dit-il : *Enfin !*?

Alors, dans le silence horrible*, un rayon blanc,
Long, pâle, glissera, formidable* et tremblant,
Sur ces haltes de nuit qu'on nomme cimetières ;
100 Les tentes frémiront, quoiqu'elles soient de pierres,
Dans tous ces sombres camps endormis ; et, sortant
Tout à coup de la brume où l'univers l'attend,
Ce clairon, au-dessus des êtres et des choses,
Au-dessus des forfaits et des apothéoses,
105 Des ombres* et des os, des esprits et des corps,
Sonnera la diane[1] effrayante des morts.

O lever en sursaut des larves pêle-mêle !
Oh ! la Nuit réveillant la Mort, sa sœur jumelle !

Pensif, je regardais l'incorruptible airain.

110 Les volontés sans loi, les passions sans frein,
Toutes les actions de tous les êtres, haines,
Amours, vertus, fureurs, hymnes, cris, plaisirs, peines,
Avaient laissé, dans l'ombre* où rien ne remuait,
Leur pâle empreinte autour de ce bronze muet ;
115 Une obscure Babel y tordait sa spirale.

Sa dimension vague, ineffable, spectrale,
Sortant de l'éternel, entrait dans l'absolu.
Pour pouvoir mesurer ce tube, il eût fallu
Prendre la toise au fond du rêve, et la coudée
120 Dans la profondeur* trouble et sombre* de l'idée ;
Un de ses bouts touchait le bien, l'autre le mal ;
Et sa longueur allait de l'homme à l'animal ;
Quoiqu'on ne vît point là d'animal et point d'homme ;
Couché sur terre, il eût joint Éden à Sodome[2].

---

1. *Diane* : sonnerie de clairon pour éveiller les soldats le matin ; 2. *Sodome*, la
ville maudite de la Genèse, devient ici le symbole des bas-fonds du mal.

─── ● **QUESTIONS** ───

● VERS 91-109. Pourquoi les restrictions des vers 91-92 ? Rompent-elles
l'unité de la vision ? — Quelle est la valeur de l'image du *rayon blanc*
(vers 97) ? En quoi est-il intéressant de constater qu'elle est reprise du
vers 203 des « Pauvres Gens » ? Étudiez les éléments de la comparaison
suivie entre les cimetières et les camps militaires (vers 99-106) : comparez avec « le Cimetière d'Eylau ». — Pourquoi le poète insiste-t-il maintenant sur le caractère *incorruptible* de l'airain du clairon (vers 109) ?

125 Son embouchure, gouffre* où plongeait mon regard,
Cercle de l'Inconnu ténébreux* et hagard*,
Pleine de cette horreur* que le mystère exhale,
M'apparaissait ainsi qu'une offre colossale
D'entrer dans l'ombre* où Dieu même est évanoui.
130 Cette gueule, avec l'air d'un redoutable ennui[1],
Morne*, s'élargissait sur l'homme et la nature;
Et cette épouvantable et muette ouverture
Semblait le bâillement noir* de l'éternité.

*
* *

Au fond de l'immanent[2] et de l'illimité,
135 Parfois, dans les lointains sans nom de l'Invisible,
Quelque chose tremblait de vaguement terrible*,
Et brillait et passait, inexprimable éclair.
Toutes les profondeurs* des mondes avaient l'air
De méditer, dans l'ombre* où l'ombre* se répète,
140 L'heure où l'on entendrait de cette âpre trompette
Un appel aussi long que l'infini* jaillir.
L'immuable semblait d'avance en tressaillir.

Des porches de l'abîme*, antres hideux, cavernes
Que nous nommons enfers, puits, gehennams[3], avernes[4],
145 Bouches d'obscurité qui ne prononcent rien[5],
Du vide, où ne flottait nul souffle aérien,
Du silence où l'haleine osait à peine éclore,
Ceci se dégageait pour l'âme : Pas encore.

Par instants, dans ce lieu triste* comme le soir,
150 Comme on entend le bruit de quelqu'un qui vient voir,

---

1. Avec l'air redoutable de quelqu'un qui, comme Tiphaine dans « l'Aigle du casque », s'ennuie (vers 50) parce que depuis longtemps il n'a pas tué quelqu'un; 2. *Immanent* : qui ne bouge pas, qui ne se transforme pas (sens étymologique). L'adjectif montre ici que nous sommes hors du temps, de même qu'*illimité* montre que nous sommes hors de l'espace; 3. *Géhennes* (le mot hébreu est en fait *ge-hinnom*); 4. *Avernes* : voir « le Satyre », vers 660; 5. A l'inverse de la « bouche d'ombre », qui parle à la fin du VIᵉ livre des *Contemplations*.

— QUESTIONS —

● VERS 110-133. Précisez le sens des termes énumérés dans les vers 111-112 d'après l'opposition qui les groupe en couples antithétiques. Pouvez-vous imaginer la vision suggérée dans les vers 114-115? Qu'est-ce qui compose *l'obscure Babel* (comparez avec « La vision d'où est sorti ce livre », vers 234-240)? — En quoi les vers 125-133 précisent-ils le vers 89? Quelle conclusion en tirez-vous sur la composition de ce poème?

On entendait le pas boiteux de la justice[1];
Puis cela s'effaçait. Des vermines, le vice,
Le crime, s'approchaient, et, fourmillement noir*,
Fuyaient. Le clairon sombre* ouvrait son entonnoir.
155 Un groupe d'ouragans dormait dans ce cratère,
Comme cet organum[2] des gouffres* doit se taire
Jusqu'au jour monstrueux où nous écarterons
Les clous de notre bière au-dessus de nos fronts.
Nul bras ne le touchait dans l'invisible sphère;
160 Chaque race avait fait sa couche de poussière
Dans l'orbe sépulcral de son évasement.
Sur cette poudre l'œil lisait confusément
Ce mot : RIEZ, écrit par le doigt d'Épicure[3];
Et l'on voyait, au fond de la rondeur obscure,
165 La toile d'araignée horrible* de Satan.

Des astres qui passaient murmuraient : « Souviens-t'en!
Prie! » et la nuit portait cette parole à l'ombre*.

Et je ne sentais plus ni le temps ni le nombre.

*
* *

Une sinistre* main sortait de l'infini*.

170 Vers la trompette, effroi de tout crime impuni,
Qui doit faire à la mort un jour lever la tête,
Elle pendait, énorme, ouverte, et comme prête
A saisir ce clairon qui se tait dans la nuit,
Et qu'emplit le sommeil formidable* du bruit.
175 La main, dans la nuée et hors de l'Invisible,
S'allongeait. A quel être était-elle? Impossible
De le dire, en ce morne* et brumeux firmament.
L'œil dans l'obscurité ne voyait clairement
Que les cinq doigts béants de cette main terrible*;
180 Tant l'être, quel qu'il fût, debout dans l'ombre* horrible*,

---

1. L'image est recréée ici d'après la formule traditionnelle qui reproche à la justice d'être boiteuse; 2. A l'idée d'un « ensemble de machines » se joint celle d'un instrument de musique (orgue) encore muet, mais dont le tonnerre éclatera quand la septième trompette aura sonné; 3. *Epicure* est pris ici, d'une manière un peu simpliste, pour le maître de toutes les philosophies du plaisir.

— Sans doute quelque archange ou quelque séraphin
Immobile, attendant le signe de la fin, —
Plongeait profondément, sous les ténébreux voiles,
Du pied dans les enfers, du front dans les étoiles !

───── **QUESTIONS** ─────

● Vers 134-168. Relevez dans les vers 134-142 tous les adjectifs à préfixe privatif : comment se complètent-ils les uns les autres ? Quelle est la contradiction apparente du vers 142 ? Quelle est sa raison d'être ? Qu'est-ce que ce *quelque chose* (vers 136) que le poète évite de définir ? — Commentez l'emploi du verbe *éclore* (vers 147). Expliquez le vers 148. — La comparaison du vers 149 ne vous semble-t-elle pas mince ? Quel est le procédé ? Comment expliquez-vous le retour du mouvement dans les vers 150-154 ? Quel est le sens de l'inscription du vers 163 ? Montrez qu'à la vision s'ajoute ici une véritable participation du poète.

● Vers 169-184. Quelle est la valeur de l'imparfait du vers 169 ? Pourquoi *s'allongeait* est-il mis en valeur au vers 176 ? Commentez l'emploi de *effroi* (vers 170), de *béants* (vers 179). Pourquoi Hugo refuse-t-il de préciser à qui appartient la main ? Relevez des détails auxquels Hugo prête un sens symbolique. Pourquoi Hugo a-t-il terminé son poème sur le mot *étoiles ?*

■ Sur l'ensemble de « La Trompette du jugement ». — Quelles sont les transformations successives de la trompette ? La progression du poème est-elle continue ?

— Comment Hugo parvient-il à donner vie à ce qui est mort ? à exprimer ce qu'il présente comme ineffable ? à suggérer l'informe ? Montrez quels bouleversements le langage subit dans un poème comme celui-ci.

— L'idée de châtiment l'emporte-t-elle sur l'idée de récompense dans ce poème ?

— Comparez la résurrection des morts dans *les Tragiques* d'Agrippa d'Aubigné (VII, 661-684), dans ce poème de Hugo et dans *Eve* de Charles Péguy. Quelles distinctions cette comparaison vous permet-elle d'établir entre l'art épique de ces trois poètes ?

— En quel sens peut-on dire que « la Trompette du jugement » rejoint et complète « La vision d'où est sorti ce livre » ?

DOCUMENTATION THÉMATIQUE
réunie par la Rédaction des Nouveaux Classiques Larousse.

1. Victor Hugo, le romantisme et l'Orient.

2. La pensée de V. Hugo :
    2.1. La souffrance et le mal ;
    2.2. Le thème de l'animal ;
    2.3. « Abîme. »

3. Le travail de l'écrivain :
    3.1. Les sources : « Les Enfants de la morte » ;
    3.2. De l'ébauche au poème : « Guerre civile » ;
    3.3. Les suppressions.

1. VICTOR HUGO, LE ROMANTISME
ET L'ORIENT

Contrairement à une opinion hâtive assez répandue, les Romantiques n'ont jamais fait fi de l'Antiquité. Mais c'est à la Grèce qu'ils ont surtout porté un culte. Sans doute est-ce lié au thème de la poésie des ruines que l'on trouve dès le XVIIIe siècle chez Volnay et chez Diderot, au goût de l'exotisme aussi ; mais les événements politiques du temps redonnent à la Grèce une place de choix sur la scène internationale. On citera Byron en Angleterre ; *les Orientales* de Victor Hugo, entre autres, témoignent de cet intérêt sur le plan littéraire. On pourra parallèlement rechercher, en peinture notamment, d'autres manifestations de cet intérêt. On pourrait penser que, de ce fait, la Turquie est un objet d'abomination — ce que dément « Sultan Mourad » dans *la Légende*. A titre complémentaire, nous citons « l'An IX de l'Hégire », extrait du même recueil (IX, 1). On y relèvera aussi une couleur orientale qui, par son exotisme, peut se rattacher aux nombreux autres textes des Romantiques concernant l'Orient, sans oublier les « itinéraires » et « journaux de voyage ».

Comme s'il pressentait que son heure était proche,
Grave, il ne faisait plus à personne un reproche ;
Il marchait en rendant aux passants leur salut ;
On le voyait vieillir chaque jour, quoiqu'il eût
A peine vingt poils blancs à sa barbe encor noire ;
Il s'arrêtait parfois pour voir les chameaux boire,
Se souvenant du temps qu'il était chamelier.

Il songeait longuement devant le saint pilier ;
Par moments, il faisait mettre une femme nue
Et la regardait, puis il contemplait la nue,
Et disait : « La beauté sur terre, au ciel le jour. »

Il semblait avoir vu l'Eden, l'âge d'amour,
Les temps antérieurs, l'ère immémoriale.
Il avait le front haut, la joue impériale,
Le sourcil chauve, l'œil profond et diligent,
Le cou pareil au col d'une amphore d'argent,
L'air d'un Noé qui sait le secret du déluge.
Si des hommes venaient le consulter, ce juge
Laissait l'un affirmer, l'autre rire et nier,
Ecoutait en silence et parlait le dernier.
Sa bouche était toujours en train d'une prière ;
Il mangeait peu, serrant sur son ventre une pierre ;
Il s'occupait lui-même à traire ses brebis ;
Il s'asseyait à terre et cousait ses habits.

Il jeûnait plus longtemps qu'autrui les jours de jeûne,
Quoiqu'il perdît sa force et qu'il ne fût plus jeune.

A soixante-trois ans une fièvre le prit.
Il relut le koran de sa main même écrit,
Puis il remit au fils de Séid la bannière,
En lui disant : « Je touche à mon aube dernière.
Il n'est pas d'autre Dieu que Dieu. Combats pour lui. »
Et son œil, voilé d'ombre, avait ce morne ennui
D'un vieux aigle forcé d'abandonner son aire.
Il vint à la mosquée à son heure ordinaire,
Appuyé sur Ali, le peuple le suivant;
Et l'étendard sacré se déployait au vent.
Là, pâle, il s'écria, se tournant vers la foule :
« Peuple, le jour s'éteint, l'homme passe et s'écoule;
La poussière et la nuit, c'est nous. Dieu seul est grand.
Peuple, je suis l'aveugle et je suis l'ignorant.
Sans Dieu je serais vil plus que la bête immonde. »
Un scheik lui dit : « O chef des vrais croyants! le monde,
Sitôt qu'il t'entendit, en ta parole crut;
Le jour où tu naquis une étoile apparut,
Et trois tours du palais de Chosroès tombèrent. »
Lui, reprit : « Sur ma mort les anges délibèrent;
L'heure arrive. Écoutez. Si j'ai de l'un de vous
Mal parlé, qu'il se lève, ô peuple, et devant tous
Qu'il m'insulte et m'outrage avant que je m'échappe;
Si j'ai frappé quelqu'un, que celui-là me frappe. »
Et, tranquille, il tendait aux passants son bâton.
Une vieille, tondant la laine d'un mouton,
Assise sur un seuil, lui cria : « Dieu t'assiste! »

Il semblait regarder quelque vision triste,
Et songeait; tout à coup, pensif, il dit : « Voilà,
Vous tous, je suis un mot dans la bouche d'Allah;
Je suis cendre comme homme et feu comme prophète.
J'ai complété d'Issa la lumière imparfaite.
Je suis la force, enfants; Jésus fut la douceur.
Le soleil a toujours l'aube pour précurseur.
Jésus m'a précédé, mais il n'est pas la Cause.
Il est né d'une Vierge aspirant une rose.
Moi, comme être vivant, retenez bien ceci,
Je ne suis qu'un limon par les vices noirci;
J'ai de tous les péchés subi l'approche étrange;
Ma chair a plus d'affront qu'un chemin n'a de fange,
Et mon corps par le mal est tout déshonoré;
O vous tous, je serai bien vite dévoré

Si dans l'obscurité du cercueil solitaire
Chaque faute de l'homme engendre un ver de terre.

Fils, le damné renaît au fond du froid caveau
Pour être par le vers dévoré de nouveau ;
Toujours sa chair revit, jusqu'à ce que la peine,
Finie, ouvre à son vol l'immensité sereine.
Fils, je suis le champ vil des sublimes combats,
Tantôt l'homme d'en haut, tantôt l'homme d'en bas,
Et le mal dans ma bouche avec le bien alterne
Comme dans le désert le sable et la citerne ;
Ce qui n'empêche pas que je n'aie, ô croyants !
Tenu tête dans l'ombre aux anges effrayants
Qui voudraient replonger l'homme dans les ténèbres ;
J'ai parfois dans mes poings tordu leurs bras funèbres ;
Souvent, comme Jacob, j'ai la nuit, pas à pas,
Lutté contre quelqu'un que je ne voyais pas ;
Mais les hommes surtout ont fait saigner ma vie ;
Ils ont jeté sur moi leur haine et leur envie,
Et, comme je sentais en moi la vérité,
Je les ai combattus, mais sans être irrité,
Et, pendant le combat, je criais : « Laissez faire !
» Je suis seul, nu, sanglant, blessé ; je le préfère.
» Qu'ils frappent sur moi tous ! que tout leur soit permis !
» Quand même, se ruant sur moi, mes ennemis
» Auraient, pour m'attaquer dans cette voie étroite,
» Le soleil à leur gauche et la lune à leur droite,
» Ils ne me feraient point reculer ! » C'est ainsi
Qu'après avoir lutté quarante ans, me voici
Arrivé sur le bord de la tombe profonde,
Et j'ai devant moi Dieu, derrière moi le monde.
Quant à vous qui m'avez dans l'épreuve suivi,
Comme les grecs Hermès et les hébreux Lévi,
Vous avez bien souffert, mais vous verrez l'aurore.
Après la froide nuit, vous verrez l'aube éclore ;
Peuple, n'en doutez pas ; celui qui prodigua
Les lions aux ravins du Jebel-Kronnega,
Les perles à la mer et les astres à l'ombre,
Peut bien donner un peu de joie à l'homme sombre. »

Il ajouta : « Croyez, veillez ; courbez le front.
Ceux qui ne sont ni bons ni mauvais resteront
Sur le mur qui sépare Eden d'avec l'abîme,
Étant trop noirs pour Dieu, mais trop blancs pour le crime ;
Presque personne n'est assez pur de péchés
Pour ne pas mériter un châtiment ; tâchez,
En priant, que vos corps touchent partout la terre ;
L'enfer ne brûlera dans son fatal mystère
Que ce qui n'aura point touché la cendre, et Dieu
A qui baise la terre obscure, ouvre un ciel bleu ;
Soyez hospitaliers ; soyez saints ; soyez justes ;

Là-haut sont les fruits purs dans les arbres augustes,
Les chevaux sellés d'or, et, pour fuir aux sept cieux,
Les chars vivants ayant des foudres pour essieux;
Chaque houri, sereine, incorruptible, heureuse,
Habite un pavillon fait d'une perle creuse;
Le Gehennam attend les réprouvés; malheur!
Ils auront des souliers de feu dont la chaleur
Fera bouillir leur tête ainsi qu'une chaudière.
La face des élus sera charmante et fière. »

Il s'arrêta, donnant audience à l'esprit.
Puis, poursuivant sa marche à pas lents, il reprit :
« O vivants! je répète à tous que voici l'heure
Où je vais me cacher dans une autre demeure;
Donc, hâtez-vous. Il faut, le moment est venu,
Que je sois dénoncé par ceux qui m'ont connu,
Et que, si j'ai des torts, on me crache au visage. »

La foule s'écartait muette à son passage.
Il se lava la barbe au puits d'Aboulféia.
Un homme réclama trois drachmes, qu'il paya,
Disant : « Mieux vaut payer ici que dans la tombe. »
L'œil du peuple était doux comme un œil de colombe
En regardant cet homme auguste, son appui;
Tous pleuraient; quand, plus tard, il fut rentré chez lui,
Beaucoup restèrent là sans fermer la paupière,
Et passèrent la nuit couchés sur une pierre.
Le lendemain matin, voyant l'aube arriver :
« Aboubèkre, dit-il, je ne puis me lever,
Tu vas prendre le livre et faire la prière. »
Et sa femme Aïscha se tenait en arrière;
Il écoutait pendant qu'Aboubèkre lisait,
Et souvent à voix basse achevait le verset;
Et l'on pleurait pendant qu'il priait de la sorte.
Et l'ange de la mort vers le soir à la porte
Apparut, demandant qu'on lui permît d'entrer.
« Qu'il entre. » On vit alors son regard s'éclairer
De la même clarté qu'au jour de sa naissance;
Et l'ange lui dit : « Dieu désire ta présence. »
— Bien », dit-il. Un frisson sur ses tempes courut,
Un souffle ouvrit sa lèvre, et Mahomet mourut.

2. LA PENSÉE DE V. HUGO

Dans *les Contemplations* déjà, notamment au VIe livre, on trouve
exprimée une attitude philosophique de Hugo que l'on retrouve
dans *la Légende*, de même que dans des poèmes postérieurs,
auxquels on se reportera : « l'Ane », « Dieu », « la Fin de Satan ».

On comparera avec *les Destinées* de Vigny, avec *Jocelyn* de Lamartine, avec certains poèmes de Musset, tels que « Rolla », « l'Espoir en Dieu », etc., pour situer la pensée de chacun.

2.1. LA SOUFFRANCE ET LE MAL

On rapprochera des « Pauvres gens » ce poème des *Contemplations* (III, 17) : « Chose vue un jour de printemps », dont voici le texte intégral.

Entendant des sanglots, je poussai cette porte.

Les quatre enfants pleuraient et la mère était morte.
Tout dans ce lieu lugubre effrayait le regard.
Sur le grabat gisait le cadavre hagard ;
C'était déjà la tombe et déjà le fantôme.
Pas de feu ; le plafond laissait passer le chaume.
Les quatre enfants songeaient comme quatre vieillards.
On voyait, comme une aube à travers des brouillards,
Aux lèvres de la morte un sinistre sourire ;
Et l'aîné qui n'avait que six ans semblait dire :
Regardez donc cette ombre où le sort nous a mis !
Un crime en cette chambre avait été commis.
Ce crime, le voici. — Sous le ciel qui rayonne,
Une femme est candide, intelligente, bonne ;
Dieu, qui la suit d'en haut d'un regard attendri,
La fit pour être heureuse. Humble, elle a pour mari
Un ouvrier ; tous deux, sans aigreur, sans envie,
Tirent d'un pas égal le licou de la vie.
Le choléra lui prend son mari ; la voilà
Veuve avec la misère et quatre enfants qu'elle a.
Alors, elle se met au labeur comme un homme.
Elle est active, propre, attentive, économe !
Pas de drap à son lit, pas d'âtre à son foyer ;
Elle ne se plaint pas, sert qui veut l'employer,
Ravaude de vieux bas, fait des nattes de paille,
Tricote, file, coud, passe les nuits, travaille
Pour nourrir ses enfants ; elle est honnête enfin.
Un jour on va chez elle, elle est morte de faim.

Oui, les buissons étaient remplis de rouges-gorges ;
Les lourds marteaux sonnaient dans la lueur des forges ;
Les masques abondaient dans les bals, et partout
Les baisers soulevaient la dentelle du loup ;
Tout vivait ; les marchands comptaient de grosses sommes ;
On entendait rouler les chars, rire les hommes ;
Les wagons ébranlaient les plaines ; le steamer
Secouait son panache au-dessus de la mer ;
Et, dans cette rumeur de joie et de lumière,
Cette femme étant seule au fond de sa chaumière,

La faim, goule effarée aux hurlements plaintifs,
Maigre et féroce était entrée à pas furtifs,
Sans bruit, et l'avait prise à la gorge, et tuée.

La faim, c'est le regard de la prostituée,
C'est le bâton ferré du bandit, c'est la main
Du pâle enfant volant du pain sur le chemin,
C'est la fièvre du pauvre oublié, c'est le râle
Du grabat naufragé dans l'ombre sépulcrale.
O Dieu ! la sève abonde, et, dans ses flancs troublés,
La terre est pleine d'herbe et de fruits et de blés,
Dès que l'arbre a fini le sillon recommence ;
Et pendant que tout vit, ô Dieu, dans ta clémence,
Que la mouche connaît la feuille du sureau,
Pendant que l'étang donne à boire au passereau,
Pendant que le tombeau nourrit les vautours chauves,
Pendant que la nature, en ses profondeurs fauves,
Fait manger le chacal, l'once et le basilic,
L'homme expire ! — Oh ! la faim, c'est le crime public.
C'est l'immense assassin qui sort de nos ténèbres.

Dieu ! pourquoi l'orphelin, dans ses langes funèbres,
Dit-il : j'ai faim ! l'enfant n'est-ce pas un oiseau ?
Pourquoi le nid a-t-il ce qui manque au berceau ?

Avril 1840.
m. 4 février 1854.

2.2. LE THÈME DE L'ANIMAL

{ Dans *la Légende des siècles* même (VIII), on citera « le Lion
{ d'Androclès » :

La ville ressemblait à l'univers. C'était
Cette heure où l'on dirait que toute âme se tait,
Que tout astre s'éclipse et que le monde change.
Rome avait étendu sa pourpre sur la fange.
Où l'aigle avait plané, rampait le scorpion.
Trimalcion foulait les os de Scipion.
Rome buvait, gaie, ivre et la face rougie ;
Et l'odeur du tombeau sortait de cette orgie.
L'amour et le bonheur, tout était effrayant.
Lesbie, en se faisant coiffer, heureuse, ayant
Son Tibulle à ses pieds qui chantait leurs tendresses,
Si l'esclave persane arrangeait mal ses tresses,
Lui piquait les seins nus de son épingle d'or.
Le mal à travers l'homme avait pris son essor ;
Toutes les passions sortaient de leurs orbites.
Les fils aux vieux parents faisaient des morts subites.
Les rhéteurs disputaient les tyrans aux bouffons.
La boue et l'or régnaient. Dans les cachots profonds,

Les bourreaux s'accouplaient à des martyres mortes.
Rome horrible chantait. Parfois, devant ses portes,
Quelque Crassus, vainqueur d'esclaves et de rois,
Plantait le grand chemin de vaincus mis en croix ;
Et, quand Catulle, amant que notre extase écoute,
Errait avec Délie, aux deux bords de la route,
Six mille arbres humains saignaient sur leurs amours.
La gloire avait hanté Rome dans les grands jours,
Toute honte à présent était la bienvenue.
Messaline en riant se mettait toute nue,
Et sur le lit public, lascive, se couchait.
Épaphrodite avait un homme pour hochet
Et brisait en jouant les membres d'Épictète.
Femme grosse, vieillard débile, enfant qui tête,
Captifs, gladiateurs, chrétiens, étaient jetés
Aux bêtes, et, tremblants, blêmes, ensanglantés,
Fuyaient, et l'agonie effarée et vivante
Se tordait dans le cirque, abîme d'épouvante.
Pendant que l'ours grondait, et que les éléphants,
Effroyables, marchaient sur les petits enfants,
La vestale songeait dans sa chaise de marbre.
Par moments, le trépas, comme le fruit d'un arbre,
Tombait du front pensif de la pâle beauté ;
Le même éclair de meurtre et de férocité
Passait de l'œil du tigre au regard de la vierge.
Le monde était le bois, l'empire était l'auberge.
De noirs passants trouvaient le trône en leur chemin,
Entraient, donnaient un coup de dent au genre humain,
Puis s'en allaient. Néron venait après Tibère.
César foulait aux pieds le Hun, le Goth, l'Ibère ;
Et l'empereur, pareil aux fleurs qui durent peu,
Le soir était charogne à moins qu'il ne fût dieu.
Le porc Vitellius roulait aux gémonies.
Escalier des grandeurs et des ignominies,
Bagne effrayant des morts, pilori des néants,
Saignant, fumant, infect, ce charnier de géants
Semblait fait pour pourrir le squelette du monde.
Des torturés râlaient sur cette rampe immonde,
Juifs sans langue, poltrons sans poings, larrons sans yeux ;
Ainsi que dans le cirque atroce et furieux
L'agonie était là, hurlant sur chaque marche.
Le noir gouffre cloaque au fond ouvrait son arche
Où croulait Rome entière ; et, dans l'immense égout,
Quand le ciel juste avait foudroyé coup sur coup,
Parfois deux empereurs, chiffres du fatal nombre,
Où les chiens sur leurs os venaient mâcher leur chair,
Se rencontraient, vivants encore, et, dans cette ombre,

Le César d'aujourd'hui heurtait celui d'hier.
Le crime sombre était l'amant du vice infâme.
Au lieu de cette race en qui Dieu mit sa flamme,
Au lieu d'Ève et d'Adam, si beaux, si purs tous deux,
Une hydre se traînait dans l'univers hideux ;
L'homme était une tête et la femme était l'autre.
Rome était la truie énorme qui se vautre.
La créature humaine, importune au ciel bleu,
Faisait une ombre affreuse à la cloison de Dieu ;
Elle n'avait plus rien de sa forme première ;
Son œil semblait vouloir foudroyer la lumière,
Et l'on voyait, c'était la veille d'Attila,
Tout ce qu'on avait eu de sacré jusque-là
Palpiter sous son ongle ; et pendre à ses mâchoires
D'un côté les vertus et de l'autre les gloires.
Les hommes rugissaient quand ils croyaient parler.
L'âme du genre humain songeait à s'en aller ;
Mais, avant de quitter à jamais notre monde,
Tremblante, elle hésitait sous la voûte profonde,
Et cherchait une bête où se réfugier.
On entendait la tombe appeler et crier.
Au fond la pâle Mort riait, sinistre et chauve.
Ce fut alors que toi, né dans le désert fauve,
Où le soleil est seul avec Dieu, toi, songeur
De l'antre que le soir emplit de sa rougeur,
Tu vins dans la cité toute pleine de crimes ;
Tu frissonnas devant tant d'ombre et tant d'abîmes ;
Ton œil fit, sur ce monde horrible et châtié,
Flamboyer tout à coup l'amour et la pitié ;
Pensif, tu secouas ta crinière sur Rome,
Et, l'homme étant le monstre, ô lion, tu fus l'homme.

2.3. « ABÎME »

Ce poème termine *la Légende* et mérite de ce fait une attention
particulière ; nous le citons *in extenso* :

L'HOMME

Je suis l'esprit, vivant au sein des choses mortes.
Je sais forger les clefs quand on ferme les portes ;
Je fais vers le désert reculer le lion ;
Je m'appelle Bacchus, Noé, Deucalion ;
Je m'appelle Shakspeare, Annibal, César, Dante ;
Je suis le conquérant ; je tiens l'épée ardente,
Et j'entre, épouvantant l'ombre que je poursuis,
Dans toutes les terreurs et dans toutes les nuits.
Je suis Platon, je vois ; je suis Newton, je trouve :
Du hibou je fais naître Athène, et de la louve

Rome ; et l'aigle m'a dit : Toi, marche le premier !
J'ai Christ dans mon sépulcre et Job sur mon fumier.
Je vis ! dans mes deux mains je porte en équilibre
L'âme et la chair ; je suis l'homme, enfin maître et libre !
Je suis l'antique Adam ! j'aime, je sais, je sens ;
J'ai pris l'arbre de vie entre mes poings puissants ;
Joyeux, je le secoue au-dessus de ma tête,
Et, comme si j'étais le vent de la tempête,
J'agite ses rameaux d'oranges d'or chargés,
Et je crie : — Accourez, peuples ! prenez, mangez !
Et je fais sur leurs fronts tomber toutes les pommes ;
Car, science, pour moi, pour mes fils, pour les hommes,
Ta sève à flots descend des cieux pleins de bonté,
Car la Vie est ton fruit, racine Éternité !
Et tout germe, et tout croît, et, fournaise agrandie,
Comme en une forêt court le rouge incendie,
Le beau Progrès vermeil, l'œil sur l'azur fixé,
Marche, et tout en marchant dévore le passé.
Je veux, tout obéit, la matière inflexible
Cède ; je suis égal presque au grand Invisible ;
Coteaux, je fais le vin comme lui fait le miel,
Je lâche comme lui des globes dans le ciel.
Je me fais un palais de ce qui fut ma geôle ;
J'attache un fil vivant d'un pôle à l'autre pôle ;
Je fais voler l'esprit sur l'aile de l'éclair.
Je tends l'arc de Nemrod, le divin arc de fer,
Et la flèche qui siffle et la flèche qui vole
Et que j'envoie au bout du monde, est ma parole.
Je fais causer le Rhin, le Gange et l'Orégon
Comme trois voyageurs dans le même wagon.
La distance n'est plus. Du vieux géant Espace
J'ai fait un nain. Je vais, et, devant mon audace,
Les noirs titans jaloux lèvent leur front flétri ;
Prométhée, au Caucase enchaîné, pousse un cri,
Tout étonné de voir Franklin voler la foudre ;
Fulton, qu'un Jupiter eût mis jadis en poudre,
Monte Léviathan et traverse la mer ;
Galvani, calme, étreint la mort au rire amer ;
Volta prend dans ses mains le glaive de l'archange
Et le dissout ; le monde à ma voix tremble et change ;
Caïn meurt, l'avenir ressemble au jeune Abel ;
Je reconquiers Éden et j'achève Babel.
Rien sans moi. La nature ébauche ; je termine.
Terre, je suis ton roi.

LA TERRE

Tu n'es que ma vermine.
Le sommeil, lourd besoin, la fièvre, feu subtil,

Le ventre abject, la faim, la soif, l'estomac vil,
T'accablent, noir passant, d'infirmités sans nombre,
Et, vieux, tu n'es qu'un spectre, et, mort, tu n'es qu'une ombre.
Tu t'en vas dans la cendre, et moi je reste au jour ;
J'ai toujours le printemps, l'aube, les fleurs, l'amour ;
Je suis plus jeune après des millions d'années.
J'emplis d'instincts rêveurs les bêtes étonnées.
Du gland je tire un chêne et le fruit du pépin.
Je me verse, urne sombre, au brin d'herbe, au sapin,
Au cep d'où sort la grappe, aux blés qui font les gerbes.
Se tenant par la main, comme des sœurs superbes,
Sur ma face où s'épand l'ombre, où le rayon luit,
Les douze heures du jour, les douze heures de nuit
Dansent incessamment une ronde sacrée.
Je suis source et chaos ; j'ensevelis, je crée.
Quand le matin naquit dans l'azur, j'étais là.
Vésuve est mon usine, et ma forge est l'Hékla ;
Je rougis de l'Etna les hautes cheminées.
En remuant Cuzco, j'émeus les Pyrénées.
J'ai pour esclave un astre ; alors que vient le soir
Sur un de mes côtés jetant son voile noir,
J'ai ma lampe : la lune au front humain m'éclaire ;
Et si quelque assassin, dans un bois séculaire,
Vers l'ombre la plus sûre et le plus âpre lieu
S'enfuit, je le poursuis de ce masque de feu.
Je peuple l'air, la flamme et l'onde ; et mon haleine
Fait, comme l'oiseau-mouche, éclore la baleine ;
Comme je fais le ver, j'enfante les typhons.
Globe vivant, je suis vêtu des flots profonds,
Des forêts et des monts ainsi que d'une armure.

SATURNE

Qu'est-ce que cette voix chétive qui murmure ?
Terre, à quoi bon tourner dans ton champ si borné,
Grain de sable, d'un grain de cendre accompagné ?
Moi, dans l'immense azur je trace un cercle énorme ;
L'espace avec terreur voit ma beauté difforme ;
Mon anneau, qui des nuits empourpre la pâleur,
Comme les boules d'or que croise le jongleur,
Lance, mêle et retient sept lunes colossales.

LE SOLEIL

Silence au fond des cieux, planètes, mes vassales !
Paix ! Je suis le pasteur, vous êtes le bétail.
Comme deux chars de front passent sous un portail,
Dans mon moindre volcan Saturne avec la Terre
Entreraient sans toucher aux parois du cratère.

Chaos ! je suis la loi. Fange ! je suis le feu.
Contemplez-moi ! Je suis la vie et le milieu,
Le Soleil, l'éternel orage de lumière.

SIRIUS

J'entends parler l'atome. Allons, Soleil, poussière,
Tais-toi ! Tais-toi, fantôme, espèce de clarté !
Pâtres dont le troupeau fuit dans l'immensité,
Globes obscurs, je suis moins hautain que vous n'êtes.
Te voilà-t-il pas fier, ô gardeur de planètes,
Pour sept ou huit moutons que tu pais dans l'azur !
Moi, j'emporte en mon orbe auguste, vaste et pur,
Mille sphères de feu dont la moindre a cent lunes.
Le sais-tu seulement, larve qui m'importunes ?
Que me sert de briller auprès de ce néant ?
L'astre nain ne voit pas même l'astre géant.

ALDEBARAN

Sirius dort ; je vis ! C'est à peine s'il bouge.
J'ai trois soleils, l'un blanc, l'autre vert, l'autre rouge ;
Centre d'un tourbillon de mondes effrénés,
Ils tournent, d'une chaîne invisible enchaînés,
Si vite, qu'on croit voir passer une flamme ivre,
Et que la foudre a dit : Je renonce à les suivre !

ARCTURUS

Moi, j'ai quatre soleils tournants, quadruple enfer,
Et leurs quatre rayons ne font qu'un seul éclair.

LA COMÈTE

Place à l'oiseau comète, effroi des nuits profondes !
Je passe. Frissonnez ! Chacun de vous, ô mondes,
O soleils ! n'est pour moi qu'un grain de sénevé !

SEPTENTRION

Un bras mystérieux me tient toujours levé ;
Je suis le chandelier à sept branches du pôle.
Comme des fantassins le glaive sur l'épaule,
Mes feux veillent au bord du vide où tout finit ;
Les univers semés du nadir au zénith,
Sous tous les équateurs et sous tous les tropiques,
Disent entre eux : — On voit la pointe de leurs piques ;
Ce sont les noirs gardiens du pôle monstrueux. —
L'éther ténébreux, plein de globes tortueux,
Ne sait pas qui je suis, et dans la nuit vermeille
Il me guette, pendant que moi, clarté, je veille.
Il me voit m'avancer, moi l'immense éclaireur,

Se dresse, et, frémissant, écoute avec horreur
S'il n'entend pas marcher mes chevaux invisibles.
Il me jette des noms sauvages et terribles,
Et voit en moi la bête errante dans les cieux.
Or nous sommes le nord, les lumières, les yeux,
Sept yeux vivants, ayant des soleils pour prunelles,
Les éternels flambeaux des ombres éternelles.
Je suis Septentrion qui sur vous apparaît.
Sirius avec tous ses globes ne serait
Pas même une étincelle en ma moindre fournaise.
Entre deux de mes feux cent mondes sont à l'aise.
J'habite sur la nuit les radieux sommets.
Les comètes de braise elles-mêmes jamais
N'oseraient effleurer des flammes de leurs queues
Le Chariot roulant dans les profondeurs bleues.
Cet astre qui parlait, je ne l'aperçois pas.
Les étoiles des cieux vont et viennent là-bas,
Traînant leurs sphères d'or et leurs lunes fidèles,
Et, si je me mettais en marche au milieu d'elles
Dans les champs de l'éther à ma splendeur soumis,
Ma roue écraserait tous ces soleils fourmis !

LE ZODIAQUE

Qu'est-ce donc que ta roue à côté de la mienne ?
De quelque point du ciel que la lumière vienne,
Elle se heurte à moi qui suis le cabestan
De l'abîme, et qui dis aux soleils : Toi, va-t'en !
Toi, reviens. C'est ton tour. Toi, sors. Je te renvoie !
Car je n'existe pas seulement pour qu'on voie
A jamais, dans l'azur farouche et flamboyant,
Le Taureau, le Bélier et le Lion, fuyant
Devant ce monstrueux chasseur, le Sagittaire,
Je plonge un seau profond dans le puits du mystère,
Et je suis le rouage énorme d'où descend
L'ordre invisible au fond du gouffre éblouissant.
Ciel sacré, si des yeux pouvaient avoir entrée
Dans ton prodige, et dans l'horreur démesurée,
Peut-être, en l'engrenage où je suis, verrait-on,
Comme l'Ixion noir d'un divin Phlégéton,
Quelque effrayant damné, quelque immense âme en peine,
Recommençant sans cesse une ascension vaine,
Et, pour l'astre qui vient quittant l'astre qui fuit,
Monter les échelons sinistres de la nuit !

LA VOIE LACTÉE

Millions, millions, et millions d'étoiles !
Je suis, dans l'ombre affreuse et sous les sacrés voiles,
La splendide forêt des constellations.

C'est moi qui suis l'amas des yeux et des rayons,
L'épaisseur inouïe et morne des lumières.
Encor tout débordant des effluves premières,
Mon éclatant abîme est votre source à tous.
O les astres d'en bas, je suis si loin de vous
Que mon vaste archipel de splendeurs immobiles,
Que mon tas de soleils n'est, pour vos yeux débiles,
Au fond du ciel, désert lugubre où meurt le bruit,
Qu'un peu de cendre rouge éparse dans la nuit !
Mais, ô globes rampants et lourds, quelle épouvante
Pour qui pénétrerait dans ma lueur vivante,
Pour qui verrait de près mon nuage vermeil !
Chaque point est un astre et chaque astre un soleil.
Autant d'astres, autant d'humanités étranges,
Diverses, s'approchant des démons ou des anges,
Dont les planètes font autant de nations ;
Un groupe d'univers, en proie aux passions,
Tourne autour de chacun de mes soleils de flammes ;
Dans chaque humanité sont des cœurs et des âmes,
Miroirs profonds ouverts à l'œil universel,
Dans chaque cœur l'amour, dans chaque âme le ciel !
Tout cela naît, meurt, croît, décroît, se multiplie.
La lumière en regorge et l'ombre en est remplie.
Dans le gouffre sous moi, de mon aube éblouis,
Globes, grains de lumière au loin épanouis,
Toi, zodiaque, vous, comètes éperdues,
Tremblants, vous traversez les blêmes étendues,
Et vos bruits sont pareils à de vagues clairons,
Et j'ai plus de soleils que vous de moucherons.
Mon immensité vit, radieuse et féconde.
J'ignore par moments si le reste du monde,
Errant dans quelque coin du morne firmament,
Ne s'évanouit pas dans mon rayonnement.

LES NÉBULEUSES

A qui donc parles-tu, flocon lointain qui passes ?
A peine entendons-nous ta voix dans les espaces.
Nous ne te distinguons que comme un nimbe obscur
Au coin le plus perdu du plus nocturne azur.
Laisse-nous luire en paix, nous, blancheurs des ténèbres,
Mondes spectres éclos dans les chaos funèbres,
N'ayant ni pôle austral ni pôle boréal ;
Nous, les réalités vivant dans l'idéal,
Les univers, d'où sort l'immense essaim des rêves,
Dispersés dans l'éther, cet océan sans grèves
Dont le flot à son bord n'est jamais revenu ;
Nous les créations, îles de l'inconnu !

L'INFINI

L'être multiple vit dans mon unité sombre.

DIEU

Je n'aurais qu'à souffler, et tout serait de l'ombre.

3. LE TRAVAIL DE L'ÉCRIVAIN

On a beaucoup parlé de la facilité de Victor Hugo comme écrivain et comme versificateur ; il n'est pas inutile, toutefois, de chercher à comprendre comment le poète travaillait et à voir si vraiment il s'abandonnait à ses dons.

3.1. LES SOURCES : « *LES ENFANTS DE LA MORTE* »

On rapprochera « les Pauvres Gens » de ce poème de Charles Lafont :

La mort vient d'entrer là, céleste messagère ;
Dieu retire du monde une veuve, une mère,
Qui du travail béni de ses fiévreuses mains,
Nourrissait deux enfants, maintenant orphelins.
5 On voit, à la lueur incertaine et blafarde
Qu'une aube de janvier répand dans la mansarde,
Le berceau, nid d'amour doucement balancé,
Où le couple enfantin sommeille entrelacé ;
Le métier à broder où l'aiguille acharnée
10 Gagnait hier encore le pain de la journée ;
Quelques meubles chétifs ; un crucifix de bois,
Devant qui les enfants joignaient leurs petits doigts ;
Et, libre enfin des maux que la misère apporte,
Sur un lit délabré, la mère froide et morte.
15 Voici que dans la chambre, à pas lents, s'introduit
Une femme inquiète et qui marche sans bruit.
Elle avance, et sa main qui tremble à cette épreuve,
Se pose en frémissant sur le front de la veuve.
« Qu'il est froid ! Mais pourquoi repousser tout espoir ? »
20 Elle prend dans un coin un débris de miroir,
Et demandant au ciel d'en ternir la surface,
Des lèvres de la morte elle approche la glace.
Rien n'y monte : la mort, révélant son secret,
Sur le verre sans tache, a tracé son arrêt.
25 Pauvres enfants ! Pour eux quel malheur ! L'étrangère
S'agenouille devant les restes de leur mère,
Ferme ses yeux qu'au ciel les anges rouvriront,
Et de son dernier drap fait un voile à son front.
Cependant les enfants, sans s'éveiller encore,
30 Frottaient leurs yeux charmants agacés par l'aurore ;

Des murmures confus sortaient de leur berceau,
Comme d'un nid caché des ramages d'oiseau.
La femme qui, déjà les couvant sous son aile,
Sentait battre pour eux la fibre maternelle,
35 Sans troubler la douceur de leur sommeil heureux,
De pleurs et de baisers les couvrit tous les deux ;
Et ne prenant conseil que de la loi céleste :
Emportons-les, dit-elle, et Dieu fera le reste.

Le reste, c'était tout. Comment ? On va le voir.
40 Cette femme au cœur d'or, qui prompte à s'émouvoir,
Imposait à ses jours cette charge nouvelle,
Mère comme la veuve, était pauvre comme elle.
Son mari, travailleur actif, intelligent,
Dans la bonne saison gagnait bien quelque argent ;
45 Mais l'hiver, pour nourrir ses enfants et leur mère,
Il n'avait plus qu'un faible et hasardeux salaire.

A l'heure du repas, il vint les retrouver.
Sa femme était distraite et paraissait rêver.
Elle se demandait, tout bas, de quelle sorte
50 Il recevrait chez lui les enfants de la morte,
Et s'il verrait sans peur ces nouveaux appétits
Mordant au pain sacré dont vivaient ses petits.

— « Femme », dit-il, après avoir avec ivresse
Serré contre son cœur les fruits de leur tendresse,
55 « D'où te vient cet air triste et ce regard baissé ?
Dans ton cœur maternel quelque crainte a passé.
— Non, rien ne trouble encor mon bonheur ni le vôtre ;
Ce qui me fait rêver, c'est le malheur d'une autre.
— Et quel est ce malheur ? Qu'on me l'explique enfin.
60 — Eh bien, notre voisine est morte ce matin. »
En prononçant ces mots, la charitable femme,
Qui sentait redoubler ses craintes dans son âme,
Regardait un rideau dont les plis agités
Cachaient les deux enfants, sur son lit transportés.
65 — « Morte, dit le mari, c'est un bonheur pour elle :
Mais pour ses deux enfants quelle perte cruelle !
Je sais qu'ils ne mourront ni de faim ni de froid ;
Que plus d'un, par devoir, les prendra sous son toit ;
Mais sans un peu d'accueil la vie est bien amère.
70 Il faudrait les aimer comme faisait leur mère.
Écoute, jusqu'ici cette main que tu vois
A bien su vous donner du pain à tous les trois ;
Pour en donner à cinq elle est assez chanceuse :
Adoptons les enfants de cette malheureuse.
75 Et choyons-les si bien, qu'oublieux et trompés
Ils ne soupçonnent pas quel coup les a frappés.

Tu ne me réponds pas? parle, tu m'embarrasses;
Blâmes-tu mon dessein? non, puisque tu m'embrasses.
N'est-ce pas que c'est Dieu qui me le conseilla?
80 Va chercher les enfants. — Tiens, dit-elle, ils sont là. »

3.2. DE L'ÉBAUCHE AU POÈME : « *GUERRE CIVILE* »

Voici des brouillons de ce poème : on tentera de déterminer
ce qu'il en reste dans la version définitive et comment pro-
cédait le poète.

La foule était sinistre et trouble; on criait
à mort!
— Ne faites pas de mal à mon père.
Et moi, je ne veux pas qu'on lui fasse du mal.
C'est un assassin
un espion
un scélérat
un traître — c'est mon père.
A mort! et Paris fauve et [illisible]
Comme Athènes autrefois, et comme autrefois Rome,
... semblait prêter son âme contre l'homme,

Il avait tout le jour tué n'importe qui
la consigne
Dans la rue au hasard, parce que c'était l'ordre
Après avoir mordu le loup se laisse mordre.
et n'ayant ni pitié, ni remords
ni colère, il trouvait toute simple la mort
Va-t'en
Chez ta mère. — Sa mère est morte, dit le père.
— Il n'a que vous alors? — Qu'est-ce que cela fait?
Marchons...
des journaux purulents
La foule était sinistre et trouble on criait
A mort, et dans la foule, altier, patiemment,
... que raillaient les âmes misérables.
... un bandit
alors on entendit
Une petite voix qui disait : c'est mon père.
Mais moi, je ne veux pas qu'on te fasse du mal.
Grâce!
Cependant on avait lâché l'homme —
le petit
tu vois bien c'est de bonne amitié.
Je vais me promener avec ces messieurs.
Monsieur, donnez-moi la main.

— va avec ta mère
— elle est morte

il n'a plus de mère, où...
    l'homme doucement
  — Messieurs, puisque je vous dis que c'est mon père.
l'enfant frappe les vainqueurs
  — Voulez-vous bien lâcher mon père tout de suite
  — Ne bats pas ces messieurs, dit le père —
                          — et le peuple
Dit : lequel doit la vie à l'autre maintenant ?
. . . .

C'est un enfant qui pleure et qui sauve son père
De sorte que le peuple apaisé, rayonnant
Dit : lequel doit la vie à l'autre maintenant ?
. . . .

Voyons, que voulez-vous que devienne un pauvre être
Qui ne sait pas pourquoi le hasard l'a fait naître ?

    faites...
     ... et sans fiel, sans remords,
Sans peur, nous trouverons toute simple la mort.
L'homme dit à l'un d'eux qui le tenait encore
    lâchez-moi le collet,
et marchons doucement ; marchons du même pas,
et prenez-moi la main, l'enfant ne verra pas
Vous me fusillerez au détour de la $\begin{cases} \text{rue} \\ \text{place} \end{cases}$
    Viens... jusque-là
il s'en ira, voyant que rien ne me menace,
        une voisine aura soin de lui
  — Vous me fusillerez dans la rue à côté
  — Laissez-moi l'éloigner
et l'enfant s'éloigna. — C'est bien, va mon garçon
maintenant où veut-on que j'aille ? — à ta maison !
cria le peuple, va, rentre chez toi —
le peuple, les voyant tous deux à leur fenêtre
Et ce bon peuple
      suivant des yeux l'enfant et le père
Heureux de n'avoir pas tué, fier, rayonnant
Dit : lequel doit la vie à l'autre maintenant ?

3.3. LES SUPPRESSIONS

{ Voici des passages retranchés de deux poèmes de *la Légende* :
{ on les étudiera en eux-mêmes avant de chercher ce qu'a pu
{ conduire Victor Hugo à les supprimer de la version définitive.

◆ « L'Aigle du casque. »
Un fragment conservé dans le reliquat nous fait connaître cet
ancien point de départ de l'affaire :

La jeunesse souvent dit d'un air triomphant
Des choses dont plus tard elle sent la piqûre.
Telle folle parole est une flèche obscure
Qui souvent part, mêlée au sourire enfantin,
Et s'enfonce à l'endroit le plus noir du destin.

Le sort, c'est l'ennemi caché qui nous regarde,
Les blonds adolescents devraient bien prendre garde
A leur langue, à leurs jeux étourdiment guerriers
Et songer que les mots sont des aventuriers.
Une parole dite est une action faite.
Oh! que n'écoutaient-ils le mage et le prophète,
Tous ces enfants, aurore éteinte, espoir tombé,
Qui font pleurer Rachel et gémir Niobé!

Deux jeunes lords, tous deux princes, tous deux imberbes,
Font marcher leurs chevaux parmi les hautes herbes;
A peine chevaliers, et déjà rois pourtant,
Ils sont joyeux, et c'est leur rire qu'on entend;
Chacun a sa pairie et chacun a sa ville.
« Quoi, tu le défierais? — D'une façon civile,
Mais à mort. — Quel motif as-tu? — Je n'en ai pas,
Je veux faire un exploit. — Crains de faire un faux pas.
— Je le provoquerai demain dans sa caverne. »

Ainsi parle, à cet âge où le vent nous gouverne,
Le petit roi d'Angus au petit roi d'Athol.
Entouré de corbeaux dont il trouble le vol,
Tiphaine se promène au haut de sa muraille,
Voilà longtemps qu'il n'a...

.... Quelque armurier de Leyde
Ou quelque forgeron des forges de Tolède
Fit ce casque et voulut au faîte y déployer
Une cigogne en bronze avec un bec d'acier.
Jamais, même au plus fort des combats insensés,
Ceux qu'il couvrait n'étaient à la tête blessés.
Il avait sur son heaume un aigle en bronze noir,
Car l'ouvrier qui forge un casque le révère;
Les armuriers, sachant dans leur travail sévère
Que la chevalerie errante va souvent
Dans l'honneur, l'aventure et le risque en avant,
Ajoutent volontiers aux cimiers qu'on vénère
Quelqu'un de ces oiseaux que connaît le tonnerre,
Et que jamais la peur ne fait fuir ni plier,
Pour que l'armure soit fidèle au chevalier.

◆ « Le Cimetière d'Eylau. »

Quel tumulte! on eût dit deux meutes à l'affût;
Les vastes régiments s'ébranlèrent : ce fut
Un tourbillonnement monstrueux d'étincelles;

Des chevaux n'ayant plus personne sur leurs selles
Couraient, des rangs entiers tombaient; tout s'effarait;
Et ce chaos faisait le bruit d'une forêt.
Ah! ces Prussiens! Mes dents claquaient. Tas de maroufles!
On sentait vous passer sur la tête des souffles;
C'étaient des boulets, l'ombre était pleine de cris;
J'apercevais au loin un petit homme gris
Que suivait au galop l'escadron de service.
Bénigssen cédait; l'aigle attaquait l'écrevisse;
L'un se précipitait et l'autre reculait;
A sept heures j'avais mes hommes au complet,
A dix nous n'étions plus que soixante; les balles,
Les biscayens, le diable et son train, les cymbales,
Les clairons, tout cela se fâchait à la fois;
L'ennemi revenait à la charge; les bois
S'emplirent de lueurs subitement coupées
De vapeurs, et c'étaient des visions d'épées,
Des fuites, des retours, des chocs; on distinguait
Ces sauvages couchés par terre, l'œil au guet,
Rampant, leur mode étant de se battre à plat ventre,
Et leur cavalerie attaquant notre centre,
Les hussards noirs, l'essaim des trompettes soufflant
Dans des cuivres, avec la sabretache au flanc,
Les damas recourbés de mamelouks, les lattes
Des dragons plastronnés de revers écarlates;

Un sale brouillard vint et le ciel devint laid,
On ne vit plus au loin briller les fers de lance.
Nous eûmes tout à coup un répit; le silence
Nous fit penser, à moi comme à mon lieutenant,
Que l'ennemi risquait un mouvement tournant;
On voyait défiler les troupes de chaque arme;
Et nous dîmes : « Ils vont refaire leur vacarme. »
Les canons s'apprêtaient comme sous un rideau.
J'apercevais au loin les hulans de Spandau,
Les lourds colbacks velus et leurs faces camuses.
Je pris dans ma valise un almanach des Muses,
Et je me mis à lire en attendant. Soudain,
Le destin, qui souvent en guerre est un gredin,
Sur nous, sur Bénigssen et toute sa séquelle,
Vint épaissir la brume infâme, de laquelle
Notre clocher, hideux point de mire, sortait.
Les batailles, cela hurle, cela se tait,
Puis cela recommence à gronder; les tonnerres,
Qui dans cette ombre-là sont extraordinaires,
Les canons, les mortiers, qui paraissent avoir
De la haine, et remplir on ne sait quel devoir,
Se remirent à faire un bruit épouvantable.

JUGEMENTS SUR *LA LÉGENDE DES SIÈCLES*

L'ACCUEIL FAIT À LA PREMIÈRE SÉRIE (1859)

L'éditeur du volume, Hetzel, craignait qu'il ne fallût six mois à la foule pour comprendre ce sacré nouveau livre de Hugo [...], un de ces opéras mystérieux qu'elle commence par siffler, mais qu'elle finit par applaudir. L'accueil fut en réalité immédiatement favorable.

*Contrairement à l'attente de Hetzel, mais conformément au vœu et à la volonté de l'auteur, c'est l'**unité philosophique** du livre qui frappa les premiers lecteurs et les premiers critiques.*

V. Hugo est surtout un apôtre [...]. Nul ne poursuit l'idée, et l'idée généreuse, avec plus d'acharnement, plus de verve, plus de foi. Chacune des petites épopées qui forment *la Légende des siècles* est un enseignement familier ou héroïque, un appel à quelque mâle vertu. Et avant tout c'est de cela qu'il faut louer le poète; si belle et si pure que soit la forme, elle ne l'emporte pas sur le fond.

Louis Jourdan,
dans *le Causeur* (2 octobre 1859).

Il y a sans doute des voix discordantes dans le concert d'éloges.

S'il doit nous donner la suite de *la Légende des siècles*, je désire que les futurs poèmes répondent mieux à leur titre général que les poèmes d'aujourd'hui. M. Hugo a-t-il bien songé? Quoi! c'est là la légende des siècles, cette série de crimes, de trahisons, de meurtres et de rapines? Quoi! ce spectacle navrant, sanglant, boueux, c'est l'histoire de l'humanité? [...] ces personnages dont s'effraie la sombre imagination de M. Hugo, ils n'ont jamais eu de place dans la légende, et c'est à peine s'ils en ont aujourd'hui une dans l'histoire [...]. Eux passés, l'âme humaine s'est levée comme le soleil après la tempête, et tout a été réparé.

Emile Montégut,
dans la *Revue des Deux Mondes* (15 octobre 1859).

C'est être encore trop indulgent pour Ernest Hello qui prophétise :

Froid délire, démence sans idées, cauchemar volontaire, cauchemar systématique, cauchemar sans excuse, jouissez, vieux non-sens, des dernières faveurs d'une critique mystifiée; vous serez oubliés bientôt et oubliés pour toujours.

Ernest Hello,
dans *le Croisé* (29 octobre 1859).

Au contraire, quelques années plus tard, et sous l'influence des par-
*nassiens, cet aspect s'estompe au profit de l'**Histoire** et de l'**Art**. On*
recherche, dans la nature ou dans les œuvres d'art, des spectacles équi-
valents.

Leconte de Lisle consacre à la Légende des siècles ces lignes toutes
pleines de tumulte :

Quand les pluies de la zone torride ont cessé de tomber par
nappes épaisses sur les sommets et dans les cirques intérieurs de
l'île où je suis né, les brises de l'est vannent au large l'avalanche
des nuées qui se dissipent au soleil, et les eaux amoncelées rompent
brusquement les parois de leurs réservoirs naturels. Elles s'écroulent
par ces déchirements de montagnes qu'on nomme des ravins,
escaliers de six à sept lieues, hérissés de végétations sauvages,
bouleversés comme une ruine de quelque Babel colossale. Les
masses d'écume, de haut en bas, par torrents, par cataractes, avec
des rugissements inouïs, se précipitent, plongent, rebondissent et
s'engouffrent. Çà et là, à l'abri des courants furieux, les oiseaux
tranquilles, les fleurs splendides des grandes lianes se baignent
dans de petits bassins de lave moussue, diamantés de lumière.
Tout auprès, les eaux roulent, tantôt livides, tantôt enflammées
par le soleil, emportant les îlettes, les tamariniers déracinés qui
agitent leurs chevelures noires et les troupeaux de bœufs qui beuglent.
Elles vont, elles descendent, plus impétueuses de minute en minute,
arrivent à la mer, et font une immense trouée à travers les houles
effondrées.

Il y a quelque chose de cela dans le génie et dans l'œuvre de
Victor Hugo.

Leconte de Lisle,
dans *le Nain jaune* (31 août 1864).

Au contraire, Théophile Gautier goûte le charme d'une visite silen-
cieuse :

Quand on lit *la Légende des siècles*, il semble qu'on parcourt un
immense cloître, une espèce de « campo santo » de la poésie, dont
les murailles sont revêtues de fresques peintes par un prodigieux
artiste qui possède tous les styles [...]. Chaque tableau donne la
sensation vivante, profonde et colorée d'une époque disparue.

Théophile Gautier,
Rapport sur le progrès des lettres (1868).

Ce revirement, cette « trahison » des lecteurs sont sensibles dans
cet article de Barbey d'Aurevilly :

M. Victor Hugo est un grand poète. Mais les grands poètes n'ont
pas toujours la faculté de se juger. Aujourd'hui, ce que nous esti-

mons le moins dans *la Légende des siècles* est peut-être ce que lui,
M. Hugo, estime le plus. Oui, qui sait? [...] L'auteur des « Pauvres
Gens », cette poésie à la Crabbe, mais d'une touche bien autrement
large et émue que celle du réaliste anglais, le peintre de « la Rose
de l'Infante », ce Vélasquez terminé et couronné par le poète,
préfère peut-être à ces deux chefs-d'œuvre [...] les deux morceaux
qui terminent le recueil, intitulés « Pleine Mer » et « Plein Ciel »,
ces deux morceaux dont je me tairai pur respect pour cette *Légende
des siècles* dans laquelle j'ai retrouvé vivant M. Hugo, que je croyais
mort, mais qui sont, tous deux, d'une inspiration insensée, et qu'il
faut renvoyer [...] aux *Contemplations!*

Barbey d'Aurevilly,
les Œuvres et les hommes (1862).

L'ACCUEIL FAIT À LA DEUXIÈME SÉRIE (1877)

En 1877, la gloire de Victor Hugo est consacrée, et, si les opinions à
son sujet se nuancent suivant les préjugés politiques de ceux qui les
émettent, elles n'osent guère s'attaquer au « grand homme ». Le débat
« œuvre de philosophe ou d'artiste? » se poursuit :
La majorité des critiques se rendent compte que la philosophie a pris
encore plus d'importance dans cette nouvelle série. Selon Paul de Saint-
Victor, Hugo fait plus que jamais figure de poète préoccupé jusqu'à
l'obsession par l'énigme du monde. Le philosophe Charles Renouvier
consacre un article au nouveau volume dans la Critique philosophique
du 17 mai 1877, prélude à son ouvrage publié en 1900 et intitulé Victor
Hugo le Philosophe.
Inlassablement Barbey d'Aurevilly soutient, dans un nouvel article,
de ton d'ailleurs quelque peu grincheux, que Victor Hugo est essentiellement un érudit et un maître du langage, victime, parfois, tel un apprenti
sorcier, de son instrument :

Je vais dire une chose scandaleuse, et qui fera peut-être pousser
un cri : ce grand poète de Victor Hugo est certainement plus érudit
encore qu'il n'est poète [...].
Hugo n'a presque exclusivement que l'imagination des mots.
Il l'a au point que, bien souvent, il s'enivre d'eux jusqu'au vertige,
et qu'il ressemble alors au Quasimodo de son invention, enfour-
chant la cloche de Notre-Dame et devenant fou du mugissement
d'airain qu'il a sous lui et qui lui remonte au cerveau. Si on ouvrait
celui de Hugo, on le trouverait peut-être noyé dans les mots.

Barbey d'Aurevilly,
dans *le Constitutionnel* (12 mars 1877).

Laissons de côté le thème secondaire du débat : « le génie de Victor Hugo est-il toujours égal à lui-même? » La question se posait inévitablement aux lecteurs de la deuxième et de la troisième série.

L'ACCUEIL DE LA POSTÉRITÉ : DES JUGEMENTS CONTRADICTOIRES

« Un génie est un accusé », écrivait Hugo dans William Shakespeare. *Les jugements portés par la postérité sur la* Légende des siècles *présentent tour à tour des accusateurs et des défenseurs. Il serait artificiel de proposer différentes époques dans cette histoire de la critique hugolienne (par exemple, idolâtrie, puis désaffection, et enfin regain de faveur d'un Hugo « poète de l'avenir ») : très tôt, les détracteurs se sont manifestés (Zola,* Documents littéraires), *comme ils se manifestent, avec plus de nuances toutefois, aujourd'hui (Thierry Maulnier,* l'Enigme Hugo, *1941). Nous opposerons plutôt les « lecteurs » de Hugo sur différents points du débat.*

Hugo est-il un païen?

Trente et quarante siècles après Homère et les origines d'Homère un des plus grands poèmes païens (et bibliques) charnels qu'il y ait jamais eu. Trente et quarante siècles après Moïse et les antécédents de Moïse [...], le seul regard venu du côté païen, de la situation païenne, la seule considération, la seule contemplation charnelle païenne, *antérieure*, terrienne, toute terreuse et toute antique.

Charles Péguy,
Victor-Marie, comte Hugo (1910).

Ou un homme du Moyen Age?

[Victor Hugo] est essentiellement moyen âge [...] comme *la* Légende des siècles *vient de le prouver avec plus d'éclat que jamais* [...]. Par la conformation de la tête, par la violence de la sensation, par l'admiration naïve et involontaire de la force, cet homme est éternellement de l'an 1000 [...]. Il y a des scènes d'une majestueuse simplicité et de l'expression la plus naïvement idéale, empruntées au monde de la Bible et de l'Evangile, mais, justement, c'est par le Moyen Age que le poète est remonté à ces sources d'inspiration d'où est descendu l'esprit du Moyen Age sur la Terre.

Barbey d'Aurevilly,
les Œuvres et les hommes (1862).

Ou l'interprète des sentiments et des aspirations de l'époque moderne?

La Légende des siècles est plutôt, çà et là, l'écho superbe de sentiments modernes attribués aux hommes des époques passées qu'une résurrection historique ou légendaire.

Leconte de Lisle,
Discours de réception à l'Académie (1887).

Il y a là une interprétation religieuse, et d'ailleurs inexacte, de la Révolution éparse dans la vague rêverie de beaucoup de Français [...]. Un écrivain épique est nécessaire à la vague conscience flottante d'une époque.

Paul Bourget,
Etudes et Portraits, VII (1885).

Ces pièces légères et sensuelles [les idylles], écrites à la gloire de l'amour libre [...], sont les seules à rétablir l'équilibre un peu compromis du recueil.

Jean-Bertrand Barrère,
Hugo (1952).

Un visionnaire en proie à l'épouvante?

On peut dire sans exagération que le sentiment le plus habituel à Victor Hugo, celui où il a trouvé ses inspirations les plus pathétiques, celui auquel il n'a jamais recours en vain et qui lui fournit un répertoire inépuisable de formes et de mouvements, sa chambre intérieure de torture et de création, c'est l'*épouvante*, une espèce de contemplation panique. Parfois il y a des moments de rémission et le fiévreux sent sur son front le souffle de Floréal, mais aussitôt *l'esprit revient* [...]. Après un « groupe d'idylles » d'ailleurs médiocres et chiquées, on tombe tout à coup au fond de ces vers lugubres :

> « Pendant que d'un baiser, ô belle, tu m'absous
> La vaste nuit funèbre est au-dessous de nous. »[1]

Paul Claudel,
Positions et Propositions,
Digression sur Victor Hugo (1925).

Ou un regard plein de paix biblique?

Péguy considère que Hugo avait reçu le don de voir la création comme si elle sortait des mains du Créateur; mais il n'a usé de cette grâce

---

1. Vers extraits de l'Idylle XXII : *André Chénier*.

qu'une fois : pour Booz endormi. *Le reste du temps, il l'a « manquée ».*

Car ce Booz était bien décidément un faîte entre des affaissements de littérature. Cette première fois, dans « le Sacre de la femme », pour le premier Adam, il avait bien cru toucher, entrer, il avait bien cru sentir passer la veine, la même veine. Ce n'avait été qu'un éclair :

« Pourtant, jusqu'à ce jour; c'était Adam, l'élu. »

Et il était retombé à des fatras, à des monceaux de littérature jusqu'au dernier vers exclu. A des habitudes, à des abondances, à des facilités. Son « Dieu invisible au philosophe », qui suit immédiatement « Booz », est grotesque. Sa « Première Rencontre du Christ avec le tombeau », qui suit immédiatement après, n'est généralement qu'une épigramme anticléricale. Comme dans tout ce désert, dans toutes ces pierres de la littérature, dans toutes ces pierrailles, dans tout ce jeûne, dans ces jours et ces jours de jeûne dans le désert, cette soudaine, cette pleine ivresse du Booz s'explique, éclate.

> Charles Péguy,
> *Victor-Marie, comte Hugo* (1910).

Un philosophe?

A l'élargissement philosophique de la pensée de V. Hugo, son œuvre épique a gagné en profondeur, en variété, et, ce n'est point un paradoxe de l'affirmer en même temps, en unité.

> Paul Berret,
> Préface à l'édition critique
> de *la Légende des siècles* (1914).

Un mystique?

Il n'y a pas de visionnaire plus intense que V. Hugo dans toute notre littérature. Ses visions devaient peu à peu opérer sa conversion. Son imagination vigoureuse, rassasiée d'avoir des vues sur le monde des sens, en a pris sur le monde surnaturel. Ce conquérant a fini en mystique. Il s'est fait apôtre.

> Maurice Barrès,
> Conférence à la Sorbonne,
> prononcée le 2 mars 1919,
> et publiée dans *Nos maîtres* (1927).

Un pur rhéteur?

Si [...] on veut définir le génie de Victor Hugo par ce qui lui est essentiel, je crois qu'il convient d'écarter ses idées et sa philosophie [...]. C'est l'ouvrier des mots, l'homme de style qui commande chez lui à l'homme de pensée et de sentiment. Analyser et décrire sa poétique et sa rhétorique, c'est définir Hugo tout entier, ou presque.

> Jules Lemaître,
> *les Contemporains,* IV (1889).

Un « songeur »?

Nul poète n'eut une plus quotidienne expérience du mystère où nous respirons.

Marcel Raymond,
Génies de France (1942).

Il prend ses images pour des idées, répètent les intellectualistes; mais la racine même du mot « idée » n'est-elle pas celle du mot grec *eidôlon*, qui signifie proprement « image »? [...]. Le « songeur » Hugo se paye de mots beaucoup moins que bien des « penseurs » qualifiés.

Henri Guillemin,
Victor Hugo par lui-même (1952).

SUJETS DE DEVOIRS ET D'EXPOSÉS

NARRATIONS

● Après leurs rudes combats, Olivier et Roland rentrent à Vienne. Imaginez l'accueil que leur réservent la foule et « le vieux Girart », les explications que fournit Olivier, la conclusion du mariage d'Aude et de Roland. (« Le Mariage de Roland. »)

● A son réveil, Mahaud raconte à Eviradnus les cauchemars qui l'ont assaillie pendant qu'elle dormait. Le chevalier errant lui montre qu'ils ne sont rien auprès de ce qui se passait réellement pendant ce temps-là. (« Eviradnus. »)

● Les enfants de la morte ont grandi. Guillaume s'est embarqué avec le pêcheur devenu vieux et deux de ses enfants. Une tempête, la nuit, se lève. Une lame emporte le pêcheur. Guillaume parvient à le ramener à bord. Imaginez le retour à la maison et le récit du pêcheur. (« Les Pauvres Gens. »)

EXPOSÉS

● Vous avez sans doute été frappé, à la lecture des extraits de *la Légende des siècles*, par le retour des images inspirées par la *moisson*. En relevant les exemples les plus significatifs, vous classerez les utilisations que fait Victor Hugo de ce thème, vous en étudierez les différentes significations, vous montrerez le lien qui pourtant les unit, et vous conclurez sur l'apport et le rôle de cette image.

DISSERTATIONS

● On a souvent accusé Victor Hugo d'être un poète « facile ». En envisageant les différents sens possibles de cet adjectif quand il est appliqué à un écrivain, vous vous demanderez si ce reproche est justifié et dans quelle mesure.

● Cette définition de *la Légende des siècles* par Saint-René Taillandier (1877) vous paraît-elle justifiée : « La légende des siècles, c'est la nuit des siècles »?

● En partant de ce jugement de Paul de Saint-Victor, critique de la fin du XIXᵉ siècle : « Ce poème épique, dont on reprochait la vaste lacune à la France, cette pierre angulaire ou cette maîtresse-tour de toute littérature nationale, qui manquait à la nôtre, *la Légende des siècles* la lui a donnée », vous vous demanderez :

a) s'il y avait vraiment là une lacune à combler;

b) si *la Légende des siècles* mérite le nom d'épopée, celui d' « épopée nationale » ;

c) si Hugo pouvait, par ses dons, combler cette lacune.

● Par quels aspects *la Légende des siècles* est-elle une suite et une métamorphose des *Châtiments?*

● Quelles sont les raisons d'être, les formes et la valeur du *merveilleux* dans *la Légende des siècles?*

● Rapportant, dans leur *Journal,* à la date du 4 mars 1860, une conversation qu'ils viennent d'avoir avec Flaubert, les Goncourt notent : « Ce qui le frappe surtout dans Hugo, qui a l'ambition de passer pour un penseur, c'est l'absence de pensée. » Ce jugement vous semble-t-il justifié? (Bien qu'il ne porte que sur la première série de 1859, qui faisait l'objet de cette conversation entre Flaubert et les Goncourt, vous appliquerez ce jugement à l'ensemble de *la Légende des siècles.*)

● En empruntant des exemples à *la Légende des siècles* pour illustrer votre développement, vous commenterez ce jugement de Paul Valéry sur Victor Hugo : « Jamais dans notre langue, le pouvoir de tout dire en vers exacts n'a été possédé et exercé à ce degré. Jusqu'à l'abus peut-être. Hugo est en quelque sorte trop fort pour ne pas abuser du pouvoir. Il transforme tout ce qu'il veut en poésie. Il trouve dans l'emploi de la forme poétique le moyen de communiquer une vie étrange à chaque chose. Il n'est pour lui d'objet inanimé. Il n'est d'abstraction qu'il ne fasse parler, chanter, se plaindre, ou menacer et cependant il n'y a chez lui pas un vers qui ne soit un vers. »

● En envisageant les deux sens principaux du mot « lyrisme », vous vous demanderez en quoi Victor Hugo reste, dans *la Légende des siècles,* un poète lyrique.

TABLE DES MATIÈRES

Pages

IMPRIMERIE HÉRISSEY. — 27000 - ÉVREUX.
Dépôt légal : Février 1971.
N° 38595. — N° de série Éditeur 13091.
IMPRIMÉ EN FRANCE *(Printed in France)*.
870 060 D-Décembre 1985.

un dictionnaire de la langue française
pour chaque niveau :

NOUVEAU DICTIONNAIRE DU FRANÇAIS CONTEMPORAIN ILLUSTRÉ
sous la direction de Jean Dubois

- 33 000 mots : enrichi et actualisé, tout le vocabulaire qui entre dans l'usage écrit et parlé de la langue courante et que les élèves doivent savoir utiliser à l'issue de la scolarité obligatoire.
- 1 062 illustrations : un apport descriptif complémentaire des définitions et qui permet l'introduction de termes plus spécialisés n'appartenant pas au vocabulaire courant ou ne nécessitant pas d'explication autre que celle de l'image.
- Un dictionnaire de phrases autant qu'un dictionnaire de mots, comme dans l'édition précédente, selon les mêmes principes de description du lexique et du fonctionnement de la langue.
- Le dictionnaire de la classe de français (90 tableaux de grammaire, 89 tableaux de conjugaison).

Un volume cartonné (14 × 19 cm), 1 296 pages.

LAROUSSE DE LA LANGUE FRANÇAISE lexis
sous la direction de Jean Dubois

Avec plus de 76 000 mots des vocabulaires courant, classique et littéraire, technique ou scientifique, c'est le plus riche des dictionnaires de la langue en un seul volume.
Par la diversité de ses informations sur les mots, par la construction raisonnée de ses articles et par son dictionnaire grammatical, c'est un instrument de pédagogie active : il s'adresse aussi à tous ceux qui veulent comprendre le fonctionnement de la langue et acquérir la maîtrise des moyens d'expression.

Nouvelle édition illustrée : un volume relié (15,5 × 23 cm), 2 126 pages dont 90 planches d'illustrations par thèmes.

GRAND LAROUSSE DE LA LANGUE FRANÇAISE
7 volumes sous la direction de L. Guilbert, R. Lagane et G. Niobey; avec le concours de H. Bonnard, L. Casati, J.-P. Colin et A. Lerond

Un dictionnaire unique parce qu'il réunit :
- la description la plus complète du vocabulaire général, scientifique et technique, classique et littéraire, avec prononciation, syntaxe et remarques grammaticales, étymologie et datations, définitions avec exemples et citations, synonymes, contraires, etc.;
- la documentation la plus riche sur la grammaire et la linguistique : près de 200 articles (à leur ordre alphabétique) donnant une analyse détaillée des diverses théories, passées ou actuelles, sur les principaux concepts grammaticaux et linguistiques;
- un traité de lexicologie exposant les principes de la formation des mots et la construction des unités lexicales.

7 volumes reliés (21 × 27 cm).

*GRAND DICTIONNAIRE ENCYCLOPÉDIQUE
10 volumes en couleurs

Avec le G.D.E., vous êtes à bonne école : fondamentalement nouveau et d'une richesse unique, cet ouvrage permet à chacun d'approcher et de comprendre toutes les connaissances et les formes d'expression du monde actuel qui, en moins d'une génération, se sont complètement transformées.

Il est à la fois :

dictionnaire pratique de la langue française
Il définit environ 100 000 mots de vocabulaire et indique la façon de s'en servir, en rendant compte de l'évolution rapide de la langue, il constitue une aide à s'exprimer, un outil de vérification constant par ses explications;

dictionnaire des noms propres
Avec plus de 80 000 noms de lieux, personnes, institutions, œuvres, il rassemble une information considérable sur la géographie, l'histoire, les sociétés, les faits de culture et de civilisation du monde entier, à toutes les époques, en fonction des sources de connaissance les plus récentes et les plus sûres;

dictionnaire encyclopédique
Il présente et éclaire les réalités associées au sens des mots. Ainsi, il renseigne sur les activités humaines, sur les idées, sur le monde physique et tout ce qui participe à l'univers qui nous entoure. Dans toutes les disciplines, les informations encyclopédiques expliquent le domaine propre à chacun des sens techniques, en fonction des progrès de la recherche et des modifications des vocabulaires scientifiques;

... et documentation visuelle
L'illustration, abondante et variée, est essentiellement en couleurs : dessins et schémas, photographies, cartographie, adaptés à chaque sujet. Elle apporte une précision et un éclairage complémentaires à ce grand déploiement du savoir-exploration.

10 volumes reliés (19 x 28 cm), plus de 180 000 articles, environ 25 000 illustrations. Bibliographie.